孔子学院总部/国家汉办
Confucius Institute Headquarters(Hanban)

W9-CCU-669

标准教程
STANDARD
COURSE

HSK

主编： 姜丽萍
LEAD AUTHOR: Jiang Liping

编者： 王芳、王枫、刘丽萍
AUTHORS: Wang Fang, Wang Feng, Liu Liping

1

练习册 **Workbook**

北京语言大学出版社
BEIJING LANGUAGE AND CULTURE
UNIVERSITY PRESS

使用说明

《HSK 标准教程 1（练习册）》与《HSK 标准教程 1》配套使用，目的是与 HSK 考试接轨，主要训练学习者的听力和阅读能力，兼顾语音和汉字的练习。

一、第 1 课、第 2 课设置的主要目的在于复现和巩固前两课介绍的声母、韵母以及声韵搭配，使学习者在大量练习中进一步感知汉语的语音，熟悉声、韵、调的组合方式，模仿和听辨是重点和难点。第 1 课、第 2 课练习册中也设计了一些涉及常用外来词的练习，这一部分的图片可以帮助学习者迅速把发音和意义结合起来，并能够扩大词汇量。

二、第 3 课到第 15 课每课设置听力、阅读、语音、汉字四个部分。

1. **听力、阅读**。这两部分从题型到格式都与 HSK（一级）考试完全一致。这样既保证了学习者对本课所学习内容练习的数量和质量，又可以让学习者在平日学习中接触到真题题型，参加考试时不需要再花额外的时间熟悉题型。每课听力和阅读部分的考查内容包括当课和前几课的主要语言点和生词，教师可以以作业的形式布置给学习者。完成练习后学习者可通过网络上提供的答案自己检测学习成果。

2. **语音**。这部分多以听辨的形式出现，以发音练习为主，练习重点是发音的听辨、跟读和模仿，这部分的教学时间教师可灵活掌握，可长可短。

3. **汉字**。这部分主要展示汉字的书写方式，目的是让学习者可以独立跟写和练习。偏旁练习中的超纲字词不做讲解，只要求学习者辨认出所学偏旁在汉字中的位置，并能够将相同偏旁的汉字归类即可。

以上是对本练习册使用方法的一些说明和建议。练习册既可以在课下完成，也可以在课上完成，主要取决于教学的总课时数，您可以根据实际情况灵活使用。对于零起点汉语学习者来说，这是他们学习汉语的入门教材，我们希望打破汉语很难的印象，让学习者学得快乐、学得轻松、学得高效。学完本书，就可以通过 HSK 相应级别的考试来检测自己的能力和水平。希望这本教材可以帮助每位学习者在学习汉语的道路上开个好头并走得更远。

A Guide to the Use of This Book

HSK Standard Course 1 (Workbook) is used to support *HSK Standard Course 1*. It aims to be in accordance with the HSK, and to provide students with training in listening and reading skills without neglecting practice in pronunciation and characters.

I. Lesson 1 and Lesson 2 are designed for the initials, finals and initial-final collocations taught in these two lessons to recur and be consolidated, helping students have a further understanding of Chinese pronunciation and familiarize themselves with the combinations of initials, finals and tones through a lot of practice. Imitation and differentiation are the emphases and difficult points. For Lesson 1 and Lesson 2, exercises involving common loan words are also available. The pictures in these parts can help students quickly combine the pronunciation and meaning and enlarge their vocabulary.

II. Each of Lessons 3-15 is composed of four parts, namely, Listening, Reading, Pronunciation and Characters.

1. **Listening and Reading**. In these two parts, the types and format of the questions are in complete accordance with those in the HSK Level 1 test, which not only ensures the quantity and quality of the exercises student have, but also allows them to be exposed to the past HSK tests in their daily study, so they don't have to spend extra time in trying to get familiar with the question types of the HSK before taking it. In each lesson, the listening and reading exercises examine how well students have learned the major language points and words of the current lesson and the previous lessons. The teacher can assign the exercises to students as homework; students can check their work with the answers provided online to make a self-evaluation of their learning.

2. **Pronunciation**. Exercises in this part are mostly listening to and differentiating pronunciations. Priority is given to pronunciation drills, focusing on differentiating, reading aloud (after the teacher or the recording) and imitating the pronunciation. Time devoted to the exercises of this part in class can be decided by the teacher flexibly; the duration of doing them may vary.

3. **Characters**. This part mainly demonstrates the way of writing characters to help students write and practice independently. Example characters not listed in the Syllabus are not to be explained. Students only need to identify the positions of the radicals they've learned in these characters and to group the characters with the same radicals.

The above are some directions and suggestions about the use of this workbook. Mainly depending on the total class hours, exercises in the workbook can be done either in class or after class. The teacher can make the decision according to the actual situation. For total beginners, this is their entry-level Chinese learning material. We strive to make Chinese easier to learn, so that students could study the language happily, effortlessly and efficiently. Upon finishing this book, students can check their language abilities and proficiency using the HSK test of the corresponding level. We hope this book can help every student have a good start and make further progress in their Chinese learning.

目 录 Contents

你好

Hello

一、朗读下列单音节词语 💿 01-1

Read the monosyllabic words aloud.

mā	má	mǎ	mà	xuē	xué	xuě	xuè
bā	bá	bǎ	bà	tiāo	tiáo	tiǎo	tiào
fēi	féi	fěi	fèi	huō	huó	huǒ	huò
qiē	qié	qiě	qiè	māo	máo	mǎo	mào

二、朗读下列双音节词语 💿 01-2

Read the disyllabic words aloud.

xià yǔ	xiàwǔ	tèbié	dì yī	yěxǔ
pǎo bù	huídá	tiào wǔ	yìqǐ	kuàilè
qítā	biǎodá	lǐwù	jīhuì	líkāi
fùxí	dìtú	dìtiě	àihào	jiēdào

三、读一读，猜一猜：给下列图片选择相应的词语

Read and Guess: Match the pictures with the words.

( )　　　　( )　　　　( )　　　　( )　　　　( )

A kāfēi　　　B kělè　　　C bālěi　　　D pài　　　E jítā

四、听录音，写出听到的声母并朗读 💿 01-3

Listen to the recording, write down the initials you hear and read the syllables aloud.

1. ___āi　　2. ___uài　　3. ___iāo　　4. ___í

5. ___ǎn　　6. ___uǒ　　7. ___ù　　8. ___iǎo

9. ____uè   10. ____ià   11. ____ǎo   12. ____āo

13. ____ǎi   14. ____ǎi   15. ____è   16. ____ǎo

17. ____ái   18. ____ǎi   19. ____ào   20. ____ēi

五、听录音，写出听到的韵母并朗读   💿 01-4

Listen to the recording, write down the finals you hear and read the syllables aloud.

1. h____   2. h____   3. h____   4. m____

5. f____   6. h____   7. n____   8. w____

9. b____   10. j____   11. j____   12. d____

13. g____   14. g____   15. p____   16. h____

17. y____   18. h____   19. g____   20. l____

六、听录音，写出听到的声调并朗读   💿 01-5

Listen to the recording, add the tone marks you hear and read the syllables aloud.

1. bu   2. hao   3. ke   4. qi

5. mei   6. you   7. ma   8. jie

9. ge   10. ge   11. di   12. nü

13. tiao   14. mai   15. hui   16. hua

17. na   18. guo   19. jiao   20. er

七、看图片，选择正确的对话

Match the pictures with the dialogues.

(   )

（1）　　Nǐ hǎo!
　　　A：你 好!
　　　　Nǐ hǎo!
　　　B：你 好!

（　　）

（　　）

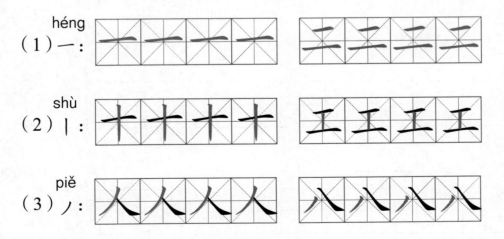

（　　）

（2）　　Nín hǎo!
　　A：您　好!
　　　　Nǐ hǎo!
　　B：你　好!

（3）　　Nín hǎo!
　　A：您　好!
　　　　Nǐmen hǎo!
　　B：你们　好!

（4）　　Duìbuqǐ!
　　A：对不起!
　　　　Méi guānxi!
　　B：没　关系!

八、汉字
Chinese Characters

1. 描写每组汉字中相应的笔画
Trace the corresponding strokes in each pair of characters.

héng
（1）一：

shù
（2）丨：

piě
（3）丿：

（4）diǎn 、：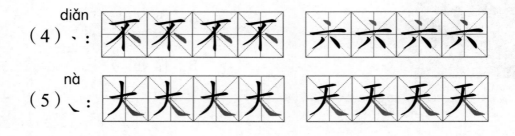

（5）nà 乀：

2. 看笔顺，写独体字

Look at the stroke order and practice writing the single-component characters.

yī   一

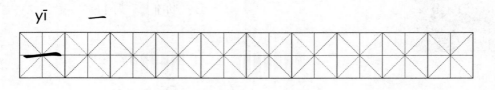

èr   一 二

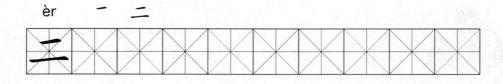

sān   一 二 三

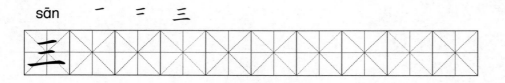

shí   一 十

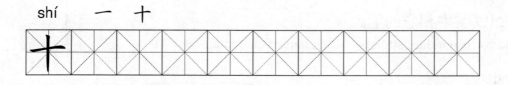

bā   丿 八

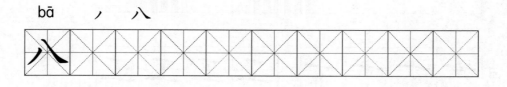

liù   丶 一 亠 六

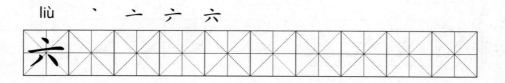

2

Xièxie   nǐ
谢谢你
Thank you

一、朗读下列单音节词语 💿 02-1
Read the monosyllabic words aloud.

zhī	zhí	zhǐ	zhì	zān	zán	zǎn	zàn
chuāng	chuáng	chuǎng	chuàng	xuān	xuán	xuǎn	xuàn
xiāng	xiáng	xiǎng	xiàng	yīng	yíng	yǐng	yìng
shēn	shén	shěn	shèn	rāng	ráng	rǎng	ràng

二、朗读下列双音节词语 💿 02-2
Read the disyllabic words aloud.

rènzhēn	rúguǒ	xǐ zǎo	zhàopiàn
cídiǎn	yǐqián	yǐhòu	yǐnliào
zháojí	huǒchē	zìjǐ	yǎnjìng
tóngxué	tóngshì	tóngyì	tūrán
yìsi	zhàngfu	tóufa	shìqing

三、读一读，猜一猜：给下列图片选择相应的词语
Read and Guess: Match the pictures with the words.

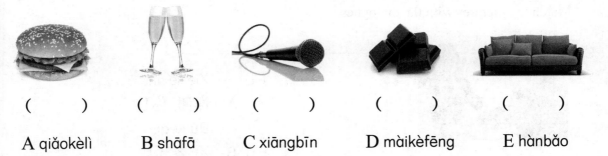

( )　　　　( )　　　　( )　　　　( )　　　　( )

A qiǎokèlì　　B shāfā　　C xiāngbīn　　D màikèfēng　　E hànbǎo

四、听录音，写出听到的声母并朗读 💿 02-3
Listen to the recording, write down the initials you hear and read the syllables aloud.

1. ___én　　2. ___én　　3. ___āng　　4. ___āng

5. ___ǒu　　6. ___uō　　7. ___uò　　8. ___àn

9. ___ì　　10. ___ān　　11. ___ì　　12. ___án

13. ___á　　14. ___áng　　15. ___ǒu　　16. ___ōu

17. ___ōng　　18. ___ài　　19. ___è　　20. ___ē

五、听录音，写出听到的韵母并朗读 📀 *02-4*

Listen to the recording, write down the finals you hear and read the syllables aloud.

1. m_____   2. sh_____   3. x_____   4. y_____

5. sh_____   6. x_____   7. x_____   8. ch_____

9. n_____   10. k_____   11. f_____   12. l_____

13. g_____   14. y_____   15. h_____   16. sh_____

17. ch_____   18. ch_____   19. x_____   20. j_____

六、听录音，写出听到的声调并朗读 📀 *02-5*

Listen to the recording, add the tone marks you hear and read the syllables aloud.

1. zhong   2. mian   3. fan   4. cai

5. neng   6. zhan   7. chang   8. shou

9. shui   10. qing   11. sheng   12. huang

13. hong   14. lan   15. re   16. rou

17. cha   18. xiang   19. cao   20. suan

七、看图片，选择正确的对话

Match the pictures with the dialogues.

（　　　）

（　　　）

（1）　　Xièxie nǐ!
　　A：谢谢 你!
　　　　Bú kèqi!
　　B：不 客气!

（2）　　Zàijiàn!
　　A：再见!
　　　　Zàijiàn!
　　B：再见!

( )

（3）　Duìbuqǐ!
A：对不起!
Méi guānxi!
B：没　关系!

（4）　Nǐ hǎo!
A：你 好!
Nǐ hǎo!
B：你 好!

( )

八、汉字
Chinese Characters

1. 描写每组汉字中相应的笔画
Trace the corresponding stroke in each pair of characters.

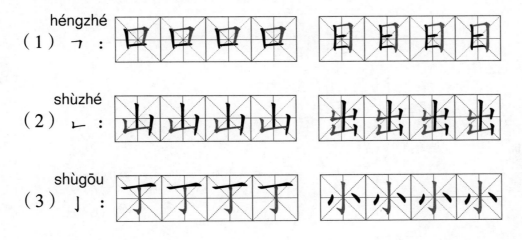

héngzhé
（1）フ：　口　口　口　口　口　　日　日　日　日

shùzhé
（2）レ：　山　山　山　山　　出　出　出　出

shùgōu
（3）亅：　丁　丁　丁　丁　　小　小　小　小

2. 看笔顺，写独体字
Look at the stroke order and practice writing the single-component characters.

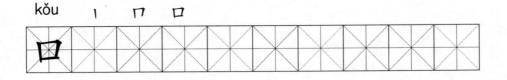

kǒu　　丨　冂　口

口

7

jiàn ｜ 冂 贝 见

见

shān ｜ 凵 山

山

xiǎo 亅 小 小

小

bù 一 丆 不 不

不

一、听力　Listening　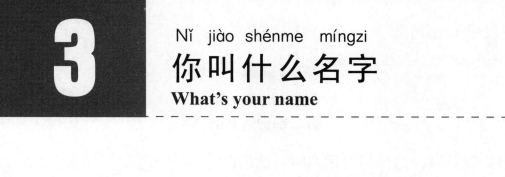 *03-1*

第一部分　Part Ⅰ

第1–4题：听词或短语，判断对错

Questions 1-4: Listen to the words or phrases and decide whether the pictures are right or wrong based on what you hear.

例如： Example:		hěn gāoxìng 很　高兴 very happy　✓
		kàn diànyǐng 看　电影　✗ to see a movie
1.		
2.		
3.		
4.		

第二部分　Part II

第5-8题：听对话，选择与对话内容一致的图片
Questions 5-8: Listen to the dialogues and choose the right picture for each dialogue you hear.

A

B

C

D

E

Nǐ hǎo!
例如：女：你好！
Example:　How do you do?

Nǐ hǎo!　Hěn gāoxìng rènshi nǐ.
　　男：你好！很　高兴　认识 你。　　　　　　　　　　C
　　　　How do you do? Nice to meet you.

5.

6.

7.

8.

第二部分　Part II

第三部分 Part III

第 9–12 题：听句子，回答问题

Questions 9-12: Listen to the sentences and answer the questions.

Xiàwǔ wǒ qù shāngdiàn, wǒ xiǎng mǎi yìxiē shuǐguǒ.
例如：下午 我去 商店，我 想 买 一些 水果。

Example: I'm going to the store this afternoon. I want to buy some fruit.

Tā xiàwǔ qù nǎli?
问：她 下午 去 哪里？

Question: Where is she going this afternoon?

	shāngdiàn	yīyuàn	xuéxiào
	A 商店 store ✓	B 医院 hospital	C 学校 school

		Lǐ Yuè	Liú Yuè	Wáng Yuè
9.	A 李 月	B 刘 月	C 王 月

		shì	bú shì	bù zhīdào
10.	A 是	B 不 是	C 不 知道 (don't know)

		Měiguó rén	Zhōngguó rén	Rìběn rén
11.	A 美国 人	B 中国 人	C 日本 人 (Japanese)

		Zhōngguó rén	Rìběn rén	Měiguó rén
12.	A 中国 人	B 日本 人	C 美国 人

二、阅读 Reading

第一部分 Part I

第 13–17 题：看图片，判断图片内容是否与提示词一致

Questions 13-17: Look at the pictures and decide whether the given words are right or wrong.

例如： Example:		diànshì 电视 television	✕
		fēijī 飞机 airplane	✓
13.		Zhōngguó rén 中国 人	
14.		lǎoshī 老师	
15.		nǐ hǎo 你 好	
16.		zàijiàn 再见	
17.		xuésheng 学生	

第二部分 Part Ⅱ

第 18–22 题：看问题，选择正确的回答

Questions 18-22: Read the questions and choose the right answer to each of them.

Nǐ hē shuǐ ma?

例如：你 喝 水 吗？   F

Example: Would you like some water?

A 　Bú shì, wǒ shì Zhōngguó rén.
　不 是，我 是 中国 人。

Nǐ jiào shénme míngzi?

18. 你 叫 什么 名字？ ☐

B 　Wǒ bú shì xuésheng, wǒ shì lǎoshī.
　我 不 是 学生， 我 是 老师。

Nín shì lǎoshī ma?

19. 您 是 老师 吗？ ☐

C 　Nǐ hǎo, wǒ jiào Dàwèi.
　你 好，我 叫 大卫。

Nǐ hǎo, wǒ jiào Lǐ Yuè.

20. 你 好，我 叫 李 月。 ☐

D 　Shì, wǒ shì lǎoshī.
　是，我 是 老师。

Nǐ shì Měiguó rén ma?

21. 你 是 美国 人 吗？ ☐

E 　Wǒ jiào Lǐ Xīn.
　我 叫 李 心。

Nǐ shì xuésheng ma?

22. 你 是 学生 吗？ ☐

F 　Hǎo de, xièxie!
　好 的，谢谢！

第三部分　Part III

第 23–30 题：看句子，选择正确的词语填空
Questions 23-30: Read the sentences and choose the right words to fill in the brackets.

shénme	shì	bù	míngzi	ma
A 什么	B 是	C 不	D 名字	E 吗

Nǐ jiào shénme
例如：你 叫 什么 （ D ）？
Example:What is your name?

Wǒ　　　shì Zhōngguó rén, wǒ shì Měiguó rén.
23. 我（　　）是 中国 人，我 是 美国 人。

Nín shì lǎoshī
24. 您 是 老师（　　）？

Tā jiào
25. 他 叫（　　）？

Lǐ Yuè　　　Zhōngguó rén, tā shì lǎoshī.
26. 李 月（　　） 中国 人，她 是 老师。

- -

lǎoshī	xuésheng	Zhōngguó	Měiguó
F 老师	G 学生	H 中国	I 美国

Dàwèi bú shì lǎoshī, tā shì
27. 大卫 不 是 老师，他 是（　　）。

xièxie nín!
28. （　　），谢谢 您！

Wǒ bú shì Zhōngguó rén, wǒ shì　　　rén.
29. 我 不 是 中国 人，我 是（　　）人。

Nǐmen hǎo, nǐmen shì　　　xuésheng ma?
30. 你们 好，你们 是（　　） 学生 吗？

三、语音 Pronunciation   *03-2*

第一部分 Part Ⅰ

第 1–8 题：听录音，选择听到的音节

Questions 1-8: Listen to the recording and mark the syllables you hear.

1. sì   cì   2. suān   cuān

3. zǐ   cǐ   4. zuàn   suàn

5. jiā   xiā   6. xīn   qīn

7. jiāng   xiāng   8. qiú   jiǔ

第二部分 Part Ⅱ

第 9–16 题：听录音，给下列词语中的“不”标注声调

Questions 9-16: Listen to the recording and add the tone marks to “不”.

9. bu shì   10. bu xiǎng

11. bu hǎo   12. bu kàn

13. bu néng   14. bu shuō

15. bu qù   16. bu mǎi

四、汉字　Characters

第一部分　Part Ⅰ

第 1–2 题：描写每组汉字中相应的笔画

Questions 1-2: Trace the corresponding stroke in each pair of characters.

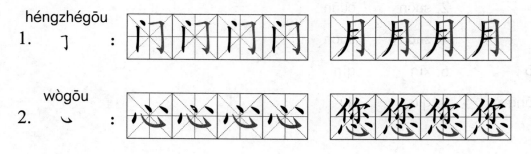

héngzhégōu
1. 𠃌 ：门门门门　月月月月

wògōu
2. 乚 ：心心心心　您您您您

第二部分　Part Ⅱ

第 3 题：看笔顺，写独体字

Question 3: Look at the stroke order and practice writing the single-component characters.

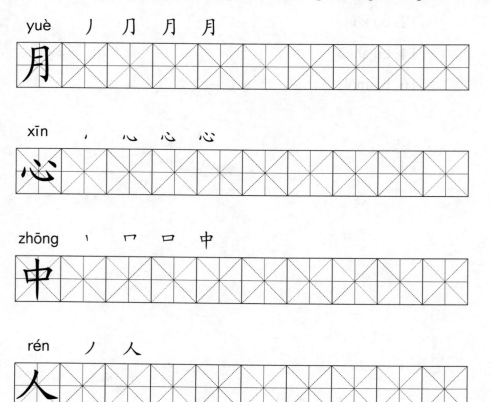

yuè　丿 冂 月 月
月

xīn　丶 乚 心 心
心

zhōng　丶 冂 口 中
中

rén　丿 人
人

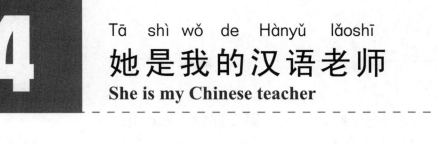

4

Tā shì wǒ de Hànyǔ lǎoshī

她是我的汉语老师

She is my Chinese teacher

一、听力　Listening　💿 *04-1*

第一部分　Part Ⅰ

第1–4题：听词或短语，判断对错

Questions 1-4: Listen to the words or phrases and decide whether the pictures are right or wrong based on what you hear.

例如： Example:		hěn gāoxìng 很　高兴　　√ very happy
		kàn diànyǐng 看　电影　　× to see a movie
1.		
2.		
3.		
4.		

第二部分　Part II

第 5-8 题：听对话，选择与对话内容一致的图片

Questions 5-8: Listen to the dialogues and choose the right picture for each dialogue you hear.

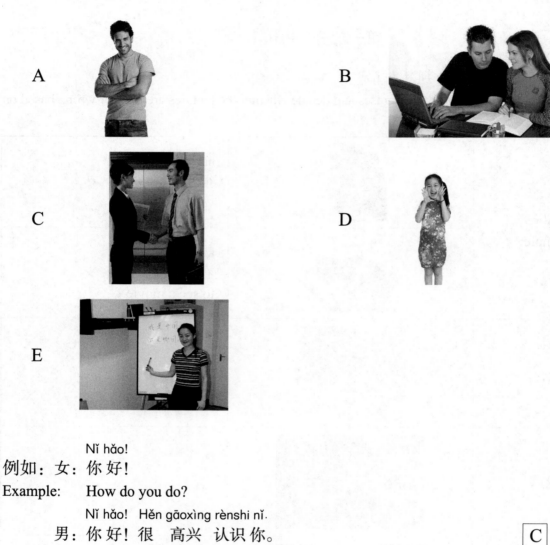

例如：女：你好！

Nǐ hǎo!

Example:　How do you do?

男：你好！很　高兴　认识你。

Nǐ hǎo!　Hěn gāoxìng rènshi nǐ.

How do you do? Nice to meet you.　　　　　C

5.　　　　　☐

6.　　　　　☐

7.　　　　　☐

8.　　　　　☐

第三部分　Part Ⅲ

第 9–12 题：听句子，回答问题

Questions 9-12: Listen to the sentences and answer the questions.

Xiàwǔ wǒ qù shāngdiàn, wǒ xiǎng mǎi yìxiē shuǐguǒ.
例如：下午 我去　商店，我 想 买 一些 水果。

Example: I'm going to the store this afternoon. I want to buy some fruit.

Tā xiàwǔ qù nǎli?
问：她 下午 去 哪里？

Question: Where is she going this afternoon?

	shāngdiàn	yīyuàn	xuéxiào
	A 商店 store √	B 医院 hospital	C 学校 school

9.
	Měiguó rén	Fǎguó rén	Zhōngguó rén
	A 美国 人	B 法国 人 (French)	C 中国　人

10.
	wǒ de péngyou	wǒ de tóngxué	wǒ de lǎoshī
	A 我的 朋友	B 我的 同学	C 我 的 老师

11.
	wǒ de péngyou	wǒ de tóngxué	wǒ de lǎoshī
	A 我的 朋友	B 我的 同学	C 我 的 老师

12.
	Wáng Fāng	Lǐ Xīn	Ānni
	A 王　方	B 李 心	C 安妮

二、阅读 Reading

第一部分 Part I

第 13–17 题：看图片，判断图片内容是否与提示词一致
Questions 13-17: Look at the pictures and decide whether the given words are right or wrong.

例如： Example:		diànshì 电视 television	✕
		fēijī 飞机 airplane	✓
13.		duìbuqǐ 对不起	
14.		tā 她	
15.		Měiguó 美国	
16.		tóngxué 同学	
17.		tāmen 他们	

第二部分　Part Ⅱ

第 18–22 题：看问题，选择正确的回答

Questions 18-22: Read the questions and choose the right answer to each of them.

	Nǐ hē shuǐ ma?				Shì, tā shì wǒ de Měiguó péngyou.
例如：	你 喝 水 吗?	F		A	是，他 是 我 的 美国　朋友。

Example: Would you like some water?

Nǐ shì nǎ guó rén?

18. 你 是 哪 国 人?　　　　　　　　B　她 是 李月，她 是 我 的

                     Tā shì Lǐ Yuè, tā shì wǒ de

                     Zhōngguó péngyou.

                     中国　　　朋友。

Tā shì shéi?

19. 他 是 谁?　　　　　　　　　　C　他 是 我 同学，他 叫 大卫。

                     Tā shì wǒ tóngxué, tā jiào Dàwèi.

Tā shì nǐ tóngxué ma?

20. 她 是 你 同学 吗?　　　　　　D　不 是，她 是 我 的 汉语 老师。

                     Bú shì, tā shì wǒ de Hànyǔ lǎoshī.

Shéi shì Lǐ Yuè?

21. 谁 是 李月?　　　　　　　　　E　我 是 美国 人。

                     Wǒ shì Měiguó rén.

Tā shì nǐ de péngyou ma?

22. 他 是 你 的 朋友 吗?　　　　　F　好 的，谢谢!

                     Hǎo de, xièxie!

第三部分　Part Ⅲ

第 23—30 题：看句子，选择正确的词语填空

Questions 23-30: Read the sentences and choose the right words to fill in the brackets.

nǎ　　　jiào　　　de　　　míngzi　　　ne
A 哪　　B 叫　　C 的　　D 名字　　E 呢

Nǐ jiào shénme
例如：你 叫 什么 （ D ）？
Example: What is your name?

Nǐ māma　　　shénme?
23. 你 妈妈（　　）什么？

Nín shì　　　guó rén?
24. 您 是（　　）国 人？

Tā bú shì wǒ tóngxuē, tā shì wǒ　　　Zhōngguó péngyou.
25. 他 不 是 我 同学， 他 是 我（　　）中国　朋友。

Wǒ shì Měiguó rén. Nǐ
26. 我 是 美国 人。你（　　）？

— —

shì　　　bù　　　ma　　　shéi
F 是　　G 不　　H 吗　　I 谁

Tā shì
27. 他 是（　　）？

Wǒ　　　shì Zhōngguó rén, wǒ shì Měiguó rén.
28. 我（　　）是 中国　人，我 是 美国 人。

Tā shì nǐ de Hànyǔ lǎoshī
29. 他 是 你 的 汉语 老师（　　）？

Tā bú shì wǒ tóngxué, tā　　　wǒ de hǎo péngyou.
30. 他 不 是 我 同学，他（　　）我 的 好 朋友。

三、语音 Pronunciation 04-2

第一部分 Part Ⅰ

第 1–8 题：听录音，选择听到的音节

Questions 1-8: Listen to the recording and mark the syllables you hear.

1. zhuāngjiā   zhuānjiā   2. xīnnián   xīnniáng

3. chènjī   chéngjì   4. fāyán   fāyáng

5. zhīdào   chídào   6. zhījǐ   chūjí

7. shǐyòng   zhǐyào   8. rìqī   zhìqì

第二部分 Part Ⅱ

第 9–16 题：听录音，给下列词语中的 "一" 标注声调

Questions 9-16: Listen to the recording and add the tone marks to "一".

9. yi tiān   10. yi nián

11. yi běn   12. yi wèi

13. yi zhāng   14. yi píng

15. yi wǎn   16. yi xià

四、汉字　Characters

第一部分　Part Ⅰ

第 1–2 题：描写每组汉字中相应的笔画

Questions 1-2: Trace the corresponding stroke in each pair of characters.

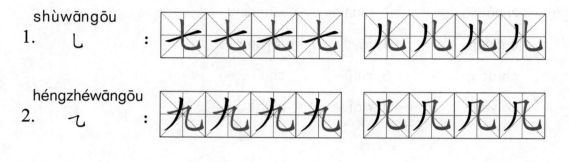

shùwāngōu
1. 乚 :

héngzhéwāngōu
2. 乙 :

第二部分　Part Ⅱ

第 3 题：看笔顺，写独体字

Question 3: Look at the stroke order and practice writing the single-component characters.

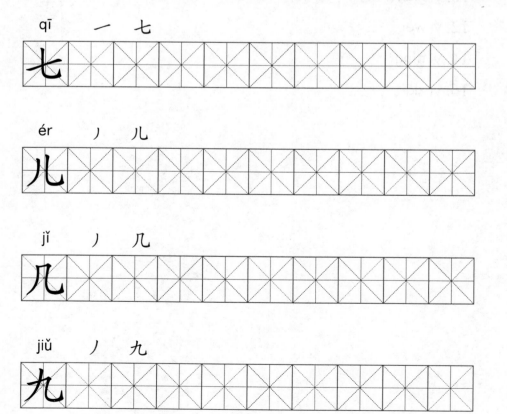

qī　一 七

ér　丿 儿

jǐ　丿 几

jiǔ　丿 九

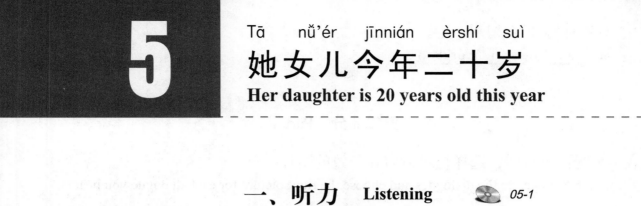

5

Tā nǚ'ér jīnnián èrshí suì
她女儿今年二十岁
Her daughter is 20 years old this year

一、听力　Listening　💿 *05-1*

第一部分　Part Ⅰ

第 1–4 题：听词或短语，判断对错

Questions 1-4: Listen to the words or phrases and decide whether the pictures are right or wrong based on what you hear.

例如： Example:		hěn gāoxìng 很　高兴　　✓ very happy
		kàn diànyǐng 看　电影　　✗ to see a movie
1.		
2.		
3.		
4.		

第二部分　Part II

第5-8题：听对话，选择与对话内容一致的图片

Questions 5-8: Listen to the dialogues and choose the right picture for each dialogue you hear.

A

B

C

D

E

Nǐ hǎo!

例如：女：你 好！

Example:　How do you do?

Nǐ hǎo!　Hěn gāoxìng rènshi nǐ.

男：你 好！很　高兴　认识 你。　　C

How do you do? Nice to meet you.

5.

6.

7.

8.

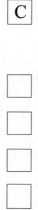

第三部分　Part Ⅲ

第 9–12 题：听句子，回答问题

Questions 9-12: Listen to the sentences and answer the questions.

Xiàwǔ wǒ qù shāngdiàn, wǒ xiǎng mǎi yìxiē shuǐguǒ.

例如：下午 我去　商店，我 想　买 一些 水果。

Example: I'm going to the store this afternoon. I want to buy some fruit.

Tā xiàwǔ qù nǎli?

问：她 下午 去 哪里？

Question: Where is she going this afternoon?

	shāngdiàn	yīyuàn	xuéxiào
	A　商店 store　√	B　医院 hospital	C　学校 school

		Zhāng lǎoshī	Lǐ lǎoshī	Lǐ lǎoshī de nǚ'ér
9.		A　张　老师	B　李 老师	C　李 老师 的 女儿

		sìshí suì	sìshíwǔ suì	wǔshí suì
10.		A　40 岁	B　45　岁	C　50 岁

		wǒ jiā	wǒ de Zhōngguó péngyou jiā
11.		A　我 家	B　我 的 中国　朋友 家

wǒ de Měiguó péngyou jiā

C　我 的 美国　朋友 家

		èrshí suì	èrshíyī suì	èrshí'èr suì
12.		A　20 岁	B　21　岁	C　22　岁

二、阅读 Reading

第一部分 Part I

第 13–17 题：看图片，判断图片内容是否与提示词一致
Questions 13-17: Look at the pictures and decide whether the given words are right or wrong.

例如： Example:		diànshì 电视 television	×
		fēijī 飞机 airplane	√
13.		qīshí suì 七十 岁	
14.		nǚ'ér 女儿	
15.		sān kǒu rén 三 口 人	
16.		tāmen 她们	
17.		wǔ kǒu rén 五 口 人	

第二部分　Part II

第 18–22 题：看问题，选择正确的回答
Questions 18-22: Read the questions and choose the right answer to each of them.

Nǐ hē shuǐ ma?
例如：你 喝 水 吗？　　　　F
Example: Would you like some water?

A　Tā jīnnián qī suì le.
她 今年 七 岁 了。

Nǐ jiā yǒu jǐ kǒu rén?
18. 你 家 有 几 口 人？

B　Bú shì, tā shì xuésheng, tā jīnnián
不 是，他 是 学生，他 今年
èrshíyī suì.
21　岁。

Lǐ lǎoshī de nǚ'ér jǐ suì le?
19. 李 老师 的 女儿 几 岁 了？

C　Tā shì Zhōngguó rén.
他 是 中国 人。

Tā shì lǎoshī ma?
20. 他 是 老师 吗？

D　Wǒ jīnnián sānshíbā suì le.
我 今年 38 岁 了。

Nǐ jīnnián duō dà le?
21. 你 今年 多 大 了？

E　Wǒ jiā yǒu sì kǒu rén.
我 家 有 四 口 人。

Nǐ de Hànyǔ lǎoshī shì nǎ guó rén?
22. 你 的 汉语 老师 是 哪 国 人？

F　Hǎo de, xièxie!
好 的，谢谢！

第三部分　Part Ⅲ

第 23–30 题：看句子，选择正确的词语填空

Questions 23-30: Read the sentences and choose the right words to fill in the brackets.

	dà	jǐ	suì	míngzi	kǒu
	A 大	B 几	C 岁	D 名字	E 口

Nǐ jiào shénme

例如：你 叫 什么 （ D ）？

Example: What is your name?

Wǒ de Zhōngguó péngyou jiā yǒu sān　　　 rén.

23. 我 的 中国 朋友 家 有 三（ 　　 ）人。

Nǐmen lǎoshī jīnnián duō

24. 你们 老师 今年 多（ 　　 ）？

Wǒ shì Měiguó rén, wǒ shì xuésheng, wǒ shíjiǔ

25. 我 是 美国 人，我 是 学生，我 19（ 　　 ）。

Nǐ jiā yǒu　　　 kǒu rén?

26. 你 家 有（ 　　 ）口 人？

- -

	ne	le	ma	nǎ
	F 呢	G 了	H 吗	I 哪

Tā shì　　　 guó rén?

27. 他 是（ 　　 ）国 人？

Wǒ jīnnián èrshíjiǔ suì. Nǐ

28. 我 今年 29 岁。你（ 　　 ）？

Zhè shì nǐ nǚ'ér

29. 这 是 你 女儿（ 　　 ）？

Tā shì wǒ de hǎo péngyou, tā jīnnián sānshí suì

30. 他 是 我 的 好 朋友，他 今年 30 岁（ 　　 ）。

三、语音 Pronunciation 05-2

第一部分 Part Ⅰ

第 1–8 题：听录音，选择听到的音节

Questions 1-8: Listen to the recording and mark the syllables you hear.

1. láng   liáng   2. hóng   xióng

3. dǒng   tǒng   4. nán   nián

5. sēn   sūn   6. háng   huáng

7. shǎng   shuǎng   8. cōng   zōng

第二部分 Part Ⅱ

第 9–16 题：听录音，选择每组中没有儿化韵的词语

Questions 9-16: Listen to the recording and mark the word without a retroflex final in each group.

9. A   B   C

10. A   B   C

11. A   B   C

12. A   B   C

13. A   B   C

14. A   B   C

15. A   B   C

16. A   B   C

四、汉字 Characters

第一部分 Part I

第 1–2 题：描写每组汉字中相应的笔画

Questions 1-2: Trace the corresponding stroke in each pair of characters.

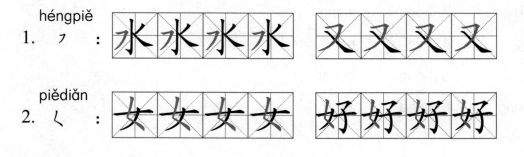

héngpiě
1. 乛 ：

piědiǎn
2. 〈 ：

第二部分 Part II

第 3 题：看笔顺，写独体字

Question 3: Look at the stroke order and practice writing the single-component characters.

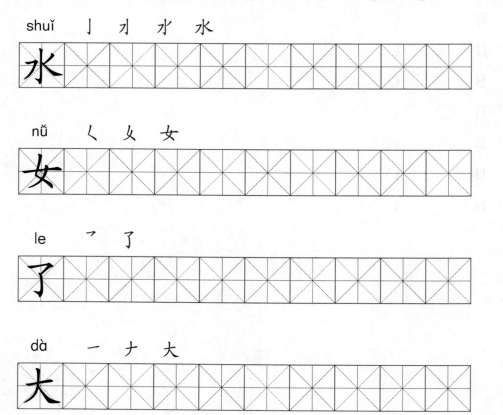

6

Wǒ huì shuō Hànyǔ
我 会 说 汉 语
I can speak Chinese

一、听力 Listening 06-1

第一部分 Part I

第1-4题：听词或短语，判断对错

Questions 1-4: Listen to the words or phrases and decide whether the pictures are right or wrong based on what you hear.

例如： Example:	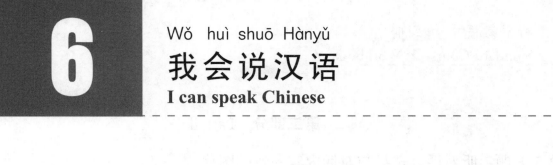	hěn gāoxìng 很 高兴 ✓ very happy
		kàn diànyǐng 看 电影 ✗ to see a movie
1.		
2.		
3.		
4.		

第二部分 Part II

第5-8题：听对话，选择与对话内容一致的图片

Questions 5-8: Listen to the dialogues and choose the right picture for each dialogue you hear.

A

B

C

D

E

Nǐ hǎo!
例如：女：你好！

Example: How do you do?

Nǐ hǎo!   Hěn gāoxìng rènshi nǐ.
男：你好！ 很 高兴 认识 你。   C

How do you do? Nice to meet you.

5.   ☐

6.   ☐

7.   ☐

8.   ☐

第三部分　Part Ⅲ

第 9–12 题：听句子，回答问题

Questions 9-12: Listen to the sentences and answer the questions.

Xiàwǔ wǒ qù shāngdiàn, wǒ xiǎng mǎi yìxiē shuǐguǒ.
例如：下午 我去 商店， 我 想 买 一些 水果。
Example: I'm going to the store this afternoon. I want to buy some fruit.

Tā xiàwǔ qù nǎli?
问：她 下午 去 哪里？
Question: Where is she going this afternoon?

shāngdiàn　　　　　　yīyuàn　　　　　　xuéxiào
A 商店 store √　　B 医院 hospital　　C 学校 school

Zhōngguó cài　　　　Měiguó cài　　　　Fǎguó cài
9.　A 中国 菜　　B 美国 菜　　C 法国 菜

Zhāng Péng　　　　Wáng Péng　　　　Lǐ Péng
10.　A 张 朋　　B 王 朋　　C 李 朋

Yīngyǔ　　　　Hànyǔ　　　　Fǎyǔ
11.　A 英语　　B 汉语　　C 法语

wǒ　　　　wǒ māma　　　　wǒ péngyou
12.　A 我　　B 我 妈妈　　C 我 朋友

二、阅读 Reading

第一部分 Part I

第 13–17：看图片，判断图片内容是否与提示词一致

Questions 13-17: Look at the pictures and decide whether the given words are right or wrong.

例如： Example:		diànshì 电视 television	×
		fēijī 飞机 airplane	√
13.		shuō Hànyǔ 说 汉语	
14.		Zhōngguó cài 中国 菜	
15.		māma 妈妈	
16.		xiě Hànzì 写 汉字	
17.		zuò Zhōngguó cài 做 中国 菜	

第二部分　Part Ⅱ

第 18–22 题：看问题，选择正确的回答

Questions 18-22: Read the questions and choose the right answer to each of them.

Nǐ hē shuǐ ma?

例如：你 喝 水 吗?　　　　　　　 **F**　　A

Example: Would you like some water?

Duìbuqǐ, zhège Hànzì wǒ huì

A 对不起，这个 汉字 我 会

dú, bú huì xiě.

读，不 会 写。

Nǐ māma huì zuò Zhōngguó cài ma?

18. 你 妈妈 会 做 中国 菜 吗?　　□

Huì, Lǐ lǎoshī shì Zhōngguó rén.

B 会，李 老师 是 中国 人。

Zhège Hànzì zěnme xiě?

19. 这个 汉字 怎么 写?　　□

Zhōngguó cài hěn hǎo chī.

C 中国 菜 很 好 吃。

Lǐ lǎoshī huì shuō Hànyǔ ma?

20. 李 老师 会 说 汉语 吗?　　□

Wǒ huì shuō Hànyǔ, bú huì xiě Hànzì.

D 我 会 说 汉语，不 会 写汉字。

Nǐ huì xiě Hànzì ma?

21. 你 会 写 汉字 吗?　　□

Tā bú huì zuò.

E 她 不 会 做。

Zhōngguó cài hǎo chī ma?

22. 中国 菜 好 吃 吗?　　□

Hǎo de, xièxie!

F 好 的，谢谢！

第三部分　Part Ⅲ

第 23-30 题：看句子，选择正确的词语填空

Questions 23-30: Read the sentences and choose the right words to fill in the brackets.

	hěn	huì	zěnme	míngzi	bù
A 很	B 会	C 怎么	D 名字	E 不

Nǐ jiào shénme

例如：你 叫 什么 （ D ）？

Example: What is your name?

Wǒ　　　huì xiě wǒ de Hànyǔ míngzi.

23. 我 （　　）会 写 我 的 汉语 名字。

Nǐ　　　zuò Zhōngguó cài ma?

24. 你 （　　）做 中国 菜 吗?

Wǒ péngyou huì shuō Hànyǔ,　tā de Hànyǔ　　　hǎo.

25. 我 朋友 会 说 汉语，他 的 汉语 （　　）好。

Lǎoshī, zhège Hànzì　　　dú?

26. 老师，这个 汉字 （　　）读?

- -

	ma	ne	nǎ	de
F 吗	G 呢	H 哪	I 的

Nǐ de Zhōngguó péngyou huì zuò Zhōngguó cài

27. 你 的 中国 朋友 会 做 中国 菜 （　　）?

Wǒ huì shuō Hànyǔ. Nǐ

28. 我 会 说 汉语。你 （　　）?

Wǒ māma　　　péngyou huì shuō Hànyǔ.

29. 我 妈妈 （　　）朋友 会 说 汉语。

Nǐ tóngxué shì　　　guó rén?

30. 你 同学 是 （　　）国 人?

三、语音　Pronunciation　　06-2

第一部分　Part I

第 1-8 题：听录音，选择听到的双音节词语

Questions 1-8: Listen to the recording and mark the disyllabic words you hear.

1. jīntiān　　jīngyàn　　2. yāoqǐng　　yāoqiú

3. xiūlǐ　　xūyào　　4. wēixiǎn　　wēihài

5. chūntiān　　Chūnjié　　6. xīnxiān　　xīnnián

7. shāngxīn　　shāngrén　　8. cāntīng　　cānguǎn

第二部分　Part II

第 9-16 题：听录音，给下列词语标注声调

Questions 9-16: Listen to the recording and add the tone marks to the following words.

9. shenqing　　sheng bing　　10. shenti　　shengri

11. jiaoliu　　jiaoyou　　12. feichang　　feiji

13. chou yan　　chouti　　14. fenzhong　　fangbian

15. chaoshi　　anjing　　16. gangcai　　ganjing

四、汉字　Characters

第一部分　Part Ⅰ

第 1–2 题：描写每组汉字中相应的笔画

Questions 1-2: Trace the corresponding stroke in each pair of characters.

1. piězhé ㇎ ：
2. xiégōu ㇂ ：
3. tí ㇀ ：

第二部分　Part Ⅱ

第 3 题：看笔顺，写独体字

Question 3: Look at the stroke order and practice writing the single-component characters.

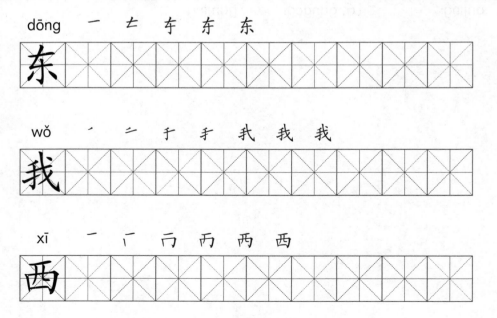

dōng 一 ㇖ 左 东 东

wǒ ㇒ 二 于 手 我 我 我

xī 一 ㇆ 冂 西 西 西

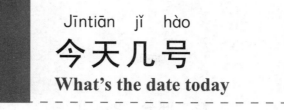

Jīntiān jǐ hào

今天几号

What's the date today

一、听力 Listening 07-1

第一部分 Part I

第1–4题：听词或短语，判断对错

Questions 1-4: Listen to the words or phrases and decide whether the pictures are right or wrong based on what you hear.

例如： Example:		hěn gāoxìng 很 高兴 very happy	√
		kàn diànyǐng 看 电影 to see a movie	✗
1.			
2.			
3.			
4.			

第二部分 Part Ⅱ

第 5–8 题：听对话，选择与对话内容一致的图片
Questions 5-8: Listen to the dialogues and choose the right picture for each dialogue you hear.

A    B

C    D

E

Nǐ hǎo!
例如：女：你 好!
Example:　How do you do?

Nǐ hǎo!　Hěn gāoxìng rènshi nǐ.
男：你 好! 很 高兴 认识 你。　　　C
How do you do? Nice to meet you.

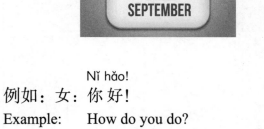

5.

6.

7.

8.

第三部分　Part Ⅲ

第 9–12 题：听句子，回答问题

Questions 9-12: Listen to the sentences and answer the questions.

Xiàwǔ wǒ qù shāngdiàn, wǒ xiǎng mǎi yìxiē shuǐguǒ.

例如：下午 我去 商店，我 想 买 一些 水果。

Example: I'm going to the store this afternoon. I want to buy some fruit.

Tā xiàwǔ qù nǎli?

问：她 下午 去 哪里？

Question: Where is she going this afternoon?

	shāngdiàn	yīyuàn	xuéxiào
	A 商店 store √	B 医院 hospital	C 学校 school

	xīngqī yī	xīngqī èr	xīngqī sān
9.	A 星期 一	B 星期 二	C 星期 三

	bā yuè shíjiǔ hào	bā yuè èrshí hào	bā yuè èrshíyī hào
10.	A 8 月 19 号	B 8 月 20 号	C 8 月 21 号

	yī yuè èrshí'èr hào	qī yuè èrshí'èr hào	sān yuè èrshí'èr hào
11.	A 1 月 22 号	B 7 月 22 号	C 3 月 22 号

	qù xuéxiào	qù yīyuàn	qù péngyou jiā
12.	A 去 学校	B 去 医院	C 去 朋友 家

二、阅读 Reading

第一部分 Part I

第 13-17：看图片，判断图片内容是否与提示词一致
Questions 13-17: Look at the pictures and decide whether the given words are right or wrong.

例如： Example:		diànshì 电视 television	×
		fēijī 飞机 airplane	√
13.		kàn shū 看 书	
14.		xuéxiào 学校	
15.		liù yuè liù hào 六 月 六 号	
16.		chī Zhōngguó cài 吃 中 国 菜	
17.		qù xuéxiào 去 学校	

第二部分　Part II

第 18–22 题：看问题，选择正确的回答

Questions 18-22: Read the questions and choose the right answer to each of them.

Nǐ hē shuǐ ma? 例如：你 喝 水 吗？ Example: Would you like some water?	F	Tā èrshíjiǔ suì. A 她 29 岁。
Jīntiān xīngqī jǐ? 18. 今天 星期 几？	☐	Jīntiān xīngqīrì. B 今天 星期日。
Jīntiān shì jǐ yuè jǐ hào? 19. 今天 是 几月 几号？	☐	Wǒ qù tóngxué jiā kàn shū. C 我 去 同学 家看 书。
Nǐ de Hànyǔ lǎoshī duō dà le? 20. 你的 汉语 老师 多大 了？	☐	Wǒ bú huì, wǒ bàba huì. D 我 不会，我 爸爸 会。
Míngtiān nǐ zuò shénme? 21. 明天 你 做 什么？	☐	Jīntiān shì shí yuè wǔ hào. E 今天 是 10 月 5 号。
Nǐ huì shuō Hànyǔ ma? 22. 你 会 说 汉语 吗？	☐	Hǎo de, xièxie! F 好 的，谢谢！

第三部分　Part Ⅲ

第 23–30 题：看句子，选择正确的词语填空
Questions 23-30: Read the sentences and choose the right words to fill in the brackets.

jǐ　　yuè　　hào　　míngzi　　xīngqī

A 几　　B 月　　C 号　　D 名字　　E 星期

Nǐ jiào shénme
例如：你 叫 什么 （ D ）？
Example: What is your name?

Zuótiān shì　　sān.
23. 昨天 是（　）三。

Míngtiān xīngqī
24. 明天 星期（　）？

Jīntiān shì jiǔ　　sānshíyī hào, xīngqī liù.
25. 今天 是 9（　）31 号，星期 六。

Nǐ shí yuè jǐ　　qù Zhōngguó?
26. 你 10 月 几（　）去 中国？

- -

wèn　　qù　　zuò　　huì

F 问　　G 去　　H 做　　I 会

Míngtiān wǒ　　yí ge Zhōngguó péngyou jiā chī fàn.
27. 明天 我（　）一个 中国 朋友 家吃 饭。

Míngtiān xīngqī liù, nǐ　　shénme?
28. 明天 星期 六，你（　）什么？

Wǒ　　shuō Hànyǔ, bù　　xiě Hànzì.
29. 我（　）说 汉语，不（　）写 汉字。

Qǐng　　zhège Hànzì zěnme dú?
30. 请（　），这个 汉字 怎么 读？

三、语音 Pronunciation 07-2

第一部分 Part I

第1-8题：听录音，选择听到的双音节词语。

Questions 1-8: Listen to the recording and mark the disyllabic words you hear.

1. shífēn   shítáng   2. shíjiān   chángcháng

3. niánqīng   niánlíng   4. míngtiān   míngnián

5. héshì   hébìng   6. ménkǒu   mén hòu

7. érqiě   érhòu   8. quántǐ   quánmiàn

第二部分 Part II

第9-16题：听录音，给下列词语标注声调

Questions 9-16: Listen to the recording and add the tone marks to the following words.

9. fang men   fangjian   10. pixie   pijiu

11. shihou   shijian   12. hui jia   hui guo

13. jie hun   jieshu   14. likai   yi ci

15. qingxu   chenggong   16. jueding   liulan

四、汉字　Characters

第一部分　Part Ⅰ

第1-2题：看汉字，找出含有下列偏旁的汉字
Questions 1-2: Look at the characters and group the characters with the same radical.

A 酒　　　　B 说　　　　C 谁　　　　D 让

E 海　　　　F 认　　　　G 没　　　　H 河

1. 氵： _____

2. 讠： _____

第二部分　Part Ⅱ

第3题：看笔顺，写独体字
Question 3: Look at the stroke order and practice writing the single-component characters.

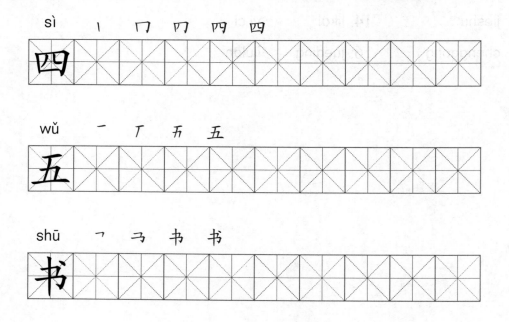

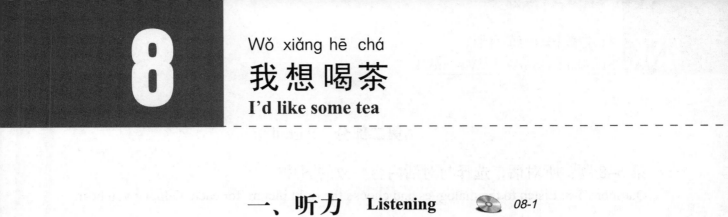

8

Wǒ xiǎng hē chá

我 想 喝 茶

I'd like some tea

一、听力 Listening   08-1

第一部分 Part I

第 1–4 题：听词或短语，判断对错

Questions 1-4: Listen to the words or phrases and decide whether the pictures are right or wrong based on what you hear.

例如： Example:		hěn gāoxìng 很 高兴 ✓ very happy
		kàn diànyǐng 看 电影 ✗ to see a movie
1.		
2.		
3.		
4.		

第二部分　Part II

第 5-8 题：听对话，选择与对话内容一致的图片
Questions 5-8: Listen to the dialogues and choose the right picture for each dialogue you hear.

A

B

C

D

E

Nǐ hǎo!
例如：女：你好！
Example:　　How do you do?

Nǐ hǎo!　Hěn gāoxìng rènshi nǐ.
　　男：你好！很　高兴　认识你。
　　How do you do? Nice to meet you.

C

5.

6.

7.

8.

第三部分　Part III

第 9–12 题：听句子，回答问题
Questions 9-12: Listen to the sentences and answer the questions.

Xiàwǔ wǒ qù shāngdiàn, wǒ xiǎng mǎi yìxiē shuǐguǒ.
例如：下午 我去 商店， 我 想 买 一些 水果。
Example: I'm going to the store this afternoon. I want to buy some fruit.

Tā xiàwǔ qù nǎli?
问：她 下午 去 哪里？
Question: Where is she going this afternoon?

	shāngdiàn		yīyuàn		xuéxiào
A	商店 store √	B	医院 hospital	C	学校 school

9.

	zhuōzi		yǐzi		bēizi
A	桌子	B	椅子	C	杯子

10.

	chá		kāfēi		mǐfàn
A	茶	B	咖啡	C	米饭

11.

	shāngdiàn		xuéxiào		péngyou jiā
A	商店	B	学校	C	朋友　家

12.

	sānshíbā kuài		qīshíjiǔ kuài		sìshíjiǔ kuài
A	38　块	B	79　块	C	49　块

二、阅读 Reading

第一部分 Part I

第 13–17 题：看图片，判断图片内容是否与提示词一致

Questions 13-17: Look at the pictures and decide whether the given words are right or wrong.

例如： Example:		diànshì 电视 television	×
		fēijī 飞机 airplane	✓
13.		chá 茶	
14.		chī fàn 吃 饭	
15.		mǐfàn 米饭	
16.		sì ge xuésheng 四 个 学生	
17.		hē chá 喝 茶	

第二部分　Part II

第 18-22 题：看问题，选择正确的回答
Questions 18-22: Read the questions and choose the right answer to each of them.

Nǐ hē shuǐ ma?

例如：你 喝 水 吗？ ☐ F

Wǒ hē chá, xièxie.

A 我 喝 茶, 谢谢。

Example: Would you like some water?

Qǐngwèn, zhège bēizi duōshao qián?

18. 请问， 这个 杯子 多少 钱？ ☐

Zhège cài shíbā kuài.

B 这个 菜 18 块。

Nǐ xiǎng hē shénme?

19. 你 想 喝 什么？ ☐

Èrshíwǔ kuài.

C 25 块。

Nǐ hǎo, zhège cài duōshao qián?

20. 你 好, 这个 菜 多少 钱？ ☐

Wǒ xiǎng qù shāngdiàn mǎi ge bēizi.

D 我 想 去 商店 买个 杯子。

Xiàwǔ nǐ xiǎng qù nǎr?

21. 下午 你 想 去哪儿？ ☐

Bú qù, míngtiān wǒ qù péngyou jiā.

E 不去, 明天 我 去 朋友 家。

Míngtiān nǐ qù xuéxiào ma?

22. 明天 你去学校 吗？ ☐

Hǎo de, xièxie!

F 好 的, 谢谢!

第三部分　Part Ⅲ

第 23-30 题：看句子，选择正确的词语填空

Questions 23-30: Read the sentences and choose the right words to fill in the brackets.

chī　　　 hē　　　 mǎi　　　 míngzi　　　 zuò

A 吃　　B 喝　　C 买　　D 名字　　E 做

Nǐ jiào shénme

例如：你 叫 什么 （ D ）？

Example: What is your name?

Wǒ xiǎng　　　　mǐfàn.
23. 我 想 （　　）米饭。

Nín hǎo, nín　　　chá ma?
24. 您 好，您 （　　）茶 吗？

Wǒ māma huì　　　Zhōngguó cài.
25. 我 妈妈 会（　　） 中国 菜。

Nǐ xiǎng qù shāngdiàn　　　shénme?
26. 你 想 去 商店 （　　）什么？

- -

jǐ　　　　 duōshao

F 几　　G 多少

Nǐ jiā yǒu　　　kǒu rén?
27. 你 家 有（　　）口 人？

Nǐmen xuéxiào yǒu　　　xuésheng?
28. 你们 学校 有 （　　） 学生？

Nǐ hǎo, zhège bēizi　　　qián?
29. 你 好，这个 杯子（　　）钱？

Nǐ yǒu　　　ge Zhōngguó péngyou?
30. A: 你 有（　　）个 中国 朋友？

Liǎng ge.
B: 两 个。

三、语音 Pronunciation 🔘 08-2

第一部分 Part I

第 1–8 题：听录音，选择听到的双音节词语

Questions 1-8: Listen to the recording and mark the disyllabic words you hear.

1. yǔyīn   yǔyán   2. guǎngbō   guǎngbó

3. shuǐjīng   shuǐpíng   4. yǒumíng   yǒuqíng

5. dǎsǎo   dǎsuàn   6. hěn hǎo   xǐhào

7. kǎoshì   kěshì   8. yǔnxǔ   yǒuqù

第二部分 Part II

第 9–16 题：听录音，给下列词语标注声调

Questions 9-16: Listen to the recording and add the tone marks to the following words.

9. xiaoxin   xiao ming   10. zongzhi   zhunshi

11. juxing   lüxing   12. xiaoshi   shouzhi

13. xuanze   xi zao   14. pao bu   zongshi

15. yexu   ganmao   16. bijiao   bisai

四、汉字　Characters

第一部分　Part Ⅰ

第 1–2 题：看汉字，找出含有下列偏旁的汉字

Questions 1-2: Look at the characters and group the characters with the same radical.

A 吃　　　B 唱　　　C 钱　　　D 针

E 叫　　　F 喝　　　G 钉　　　H 钓

1. 钅：_____

2. 口：_____

第二部分　Part Ⅱ

第 3 题：看笔顺，写独体字

Question 3: Look at the stroke order and practice writing the single-component characters.

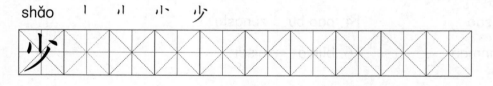

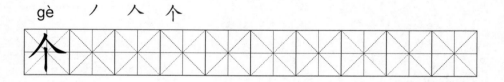

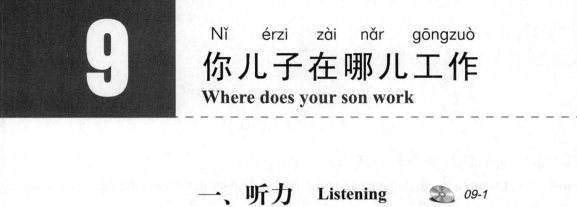

Nǐ érzi zài nǎr gōngzuò
你儿子在哪儿工作
Where does your son work

一、听力　Listening　09-1

第一部分　Part I

第 1–4 题：听词或短语，判断对错

Questions 1-4: Listen to the words or phrases and decide whether the pictures are right or wrong based on what you hear.

例如： Example:		hěn gāoxìng 很　高兴　　✓ very happy
		kàn diànyǐng 看　电影　　✗ to see a movie
1.		
2.		
3.		
4.		

第二部分　Part II

第 5-8 题：听对话，选择与对话内容一致的图片
Questions 5-8: Listen to the dialogues and choose the right picture for each dialogue you hear.

A

B

C

D

E

Nǐ hǎo!
例如：女：你 好！
Example:　　How do you do?

Nǐ hǎo!　Hěn gāoxìng rènshi nǐ.
男：你 好！很　高兴　认识 你。　　　　　　C
How do you do? Nice to meet you.

5.

6.

7.

8.

第三部分　Part Ⅲ

第 9–12 题：听句子，回答问题

Questions 9-12: Listen to the sentences and answer the questions.

Xiàwǔ wǒ qù shāngdiàn, wǒ xiǎng mǎi yìxiē shuǐguǒ.

例如：下午 我去　商店，我 想　买 一些 水果。

Example: I'm going to the store this afternoon. I want to buy some fruit.

Tā xiàwǔ qù nǎli?

问：她 下午 去 哪里？

Question: Where is she going this afternoon?

	shāngdiàn		yīyuàn		xuéxiào
	A 商店 store ✓	B	医院 hospital	C	学校 school

		yǐzi shang		zhuōzi shang		yǐzi xia
9.	A	椅子 上	B	桌子　上	C	椅子 下

		shāngdiàn		yīyuàn		xuéxiào
10.	A	商店	B	医院	C	学校

		shāngdiàn		xuéxiào		bù gōngzuò
11.	A	商店	B	学校	C	不 工作

		Zhōngguó		Měiguó		jiā
12.	A	中国	B	美国	C	家

二、阅读 Reading

第一部分 Part I

第 13-17：看图片，判断图片内容是否与提示词一致
Questions 13-17: Look at the pictures and decide whether the given words are right or wrong.

例如： Example:		diànshì 电视 television	×
		fēijī 飞机 airplane	√
13.		chá 茶	
14.		lǎoshī 老师	
15.		zài yīyuàn 在 医院	
16.		bàba érzi 爸爸、儿子	
17.		bēizi 杯子	

第二部分　Part Ⅱ

第 18–22 题：看问题，选择正确的回答

Questions 18-22: Read the questions and choose the right answer to each of them.

Nǐ hē shuǐ ma?

例如：你 喝 水 吗?　　　　　　　　　F

Example: Would you like some water?

Wǒ shì xuésheng, wǒ bù gōngzuò.

A　我 是 学生，我 不 工作。

Nǐ zài nǎr gōngzuò?

18. 你 在 哪儿 工作?

Bú zài, Lǐ lǎoshī zài yīyuàn.

B　不 在，李 老师 在 医院。

Wǒ de xiǎo gǒu zài nǎr?

19. 我 的 小 狗 在 哪儿?

Zài nàr, yǐzi xiàmiàn.

C　在 那儿，椅子 下面。

Wǒ de bēizi ne?

20. 我 的 杯子 呢?

Tā shì lǎoshī, zài xuéxiào gōngzuò.

D　她 是 老师，在 学校 工作。

Nǐ nǚ'ér zài nǎr gōngzuò?

21. 你 女儿 在 哪儿 工作?

Bēizi zài zhèr.

E　杯子 在 这儿。

Qǐngwèn, Lǐ lǎoshī zài ma?

22. 请问，李 老师 在 吗?

Hǎo de, xièxie!

F　好 的，谢谢!

第三部分　Part Ⅲ

第 23–30 题：看句子，选择正确的词语填空

Questions 23-30: Read the sentences and choose the right words to fill in the brackets.

　　　　　　 zài　　　　 nǎr　　　　　 ne　　　 míngzi　　　 shénme
　　　 A 在　　　 B 哪儿　　　 C 呢　　　 D 名字　　　 E 什么

　　　　 Nǐ jiào shénme
例如：你叫 什么 （ D ）?
Example: What is your name?

　　　 Nǐ bàba zuò　　　　 gōngzuò?
23. 你 爸爸 做（　　）工作?

　　　 Nǐ hǎo, qǐngwèn Wáng lǎoshī zài
24. 你好，请问 王 老师在（　　）?

　　　 Wǒ érzi shì yīshēng,　　　 yīyuàn gōngzuò.
25. 我儿子是 医生，（　　）医院 工作。

　　　 Nǐ de māo
26. 你 的 猫（　　）?

- -

　　　　　　 jiā　　　　 xuéxiào　　　 yīyuàn　　　 shāngdiàn
　　　 F 家　　　 G 学校　　　 H 医院　　　 I 商店

　　　 Nǐ　　　 yǒu jǐ kǒu rén?
27. 你（　　）有几口人?

　　　 Wǒ xiǎng qù　　　 mǎi yí ge bēizi.
28. 我 想 去（　　）买一个 杯子。

　　　 Míngtiān xiàwǔ wǒ xiǎng qù　　　 kàn shū.
29. 明天 下午我 想 去（　　）看书。

　　　 Tā bàba shì yīshēng, zài　　　 gōngzuò.
30. 他 爸爸是 医生，在（　　）工作。

三、语音　Pronunciation　 *09-2*

第一部分　Part Ⅰ

第 1–8 题：听录音，选择听到的双音节词语

Questions 1-8: Listen to the recording and mark the disyllabic words you hear.

1. bàn tiān　　bài nián　　　　2. lùyīn　　　lùrén

3. hùxiāng　　bù liáng　　　　4. dànshì　　dàshǐ

5. jiàn miàn　jiànkāng　　　　6. huàbǐ　　　huàmiàn

7. zìjǐ　　　　zìlì　　　　　　　8. yùdào　　　yùxiǎng

第二部分　Part Ⅱ

第 9–16 题：听录音，给下列词语标注声调

Questions 9-16: Listen to the recording and add the tone marks to the following words.

9. zaijian　　zaixian　　　　10. ban dian　　ban nian

11. dianying　dianshi　　　　12. yundong　　yunxing

13. huozhe　　huoche　　　　14. shui jiao　　shijie

15. jijie　　　ditie　　　　　16. banfa　　　bianhua

四、汉字 Characters

第一部分 Part I

第1–2题：看汉字，找出含有下列偏旁的汉字

Questions 1-2: Look at the characters and group the characters with the same radical.

A 问　　　B 道　　　C 闪　　　D 边

E 送　　　F 间　　　G 闷　　　H 这

1. 辶：_____

2. 门：_____

第二部分 Part II

第3题：看笔顺，写独体字

Question 3: Look at the stroke order and practice writing the single-component characters.

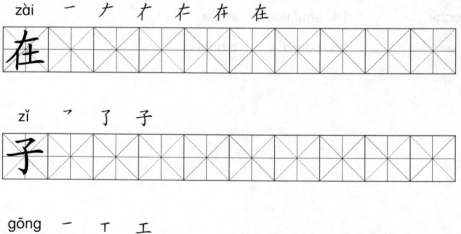

10

Wǒ néng zuò zhèr ma

我 能 坐 这儿 吗

Can I sit here

一、听力　Listening　💿 *10-1*

第一部分　Part Ⅰ

第 1–4 题：听词或短语，判断对错

Questions 1-4: Listen to the words or phrases and decide whether the pictures are right or wrong based on what you hear.

例如： Example:		hěn gāoxìng 很　高兴　√ very happy
		kàn diànyǐng 看　电影　× to see a movie
1.		
2.		
3.		
4.		

65

第二部分　Part II

第 5-8 题：听对话，选择与对话内容一致的图片
Questions 5-8: Listen to the dialogues and choose the right picture for each dialogue you hear.

A

B

C

D

E

Nǐ hǎo!
例如：女：你好!
Example:　　How do you do?

Nǐ hǎo! Hěn gāoxìng rènshi nǐ.
　　　男：你好! 很　高兴　认识 你。　　　C
　　　How do you do? Nice to meet you.

5.

6.

7.

8.

第三部分　Part Ⅲ

第 9–12 题：听句子，回答问题
Questions 9-12: Listen to the sentences and answer the questions.

Xiàwǔ wǒ qù shāngdiàn, wǒ xiǎng mǎi yìxiē shuǐguǒ.
例如：下午 我去 商店，我 想 买 一些 水果。
Example: I'm going to the store this afternoon. I want to buy some fruit.

Tā xiàwǔ qù nǎli?
问：她 下午 去 哪里？
Question: Where is she going this afternoon?

	shāngdiàn	yīyuàn	xuéxiào
	A 商店 store ✓	B 医院 hospital	C 学校 school

	yǐzi	diànnǎo	bēizi hé shū
9.	A 椅子	B 电脑	C 杯子 和 书

	kàn shū	hē chá	xiě Hànzì
10.	A 看 书	B 喝 茶	C 写 汉字

	yīshēng	Xiè Péng	Xiè Péng de tóngxué
11.	A 医生	B 谢 朋	C 谢 朋 的 同学

	xiǎo māo	xiǎo gǒu	yǐzi
12.	A 小 猫	B 小 狗	C 椅子

二、阅读 Reading

第一部分 Part I

第 13–17 题：看图片，判断图片内容是否与提示词一致

Questions 13-17: Look at the pictures and decide whether the given words are right or wrong.

例如： Example:		diànshì 电视 television	×
		fēijī 飞机 airplane	✓
13.		gōngzuò 工作	
14.		diànnǎo 电脑	
15.		qǐng hē chá 请 喝茶	
16.		zài xuéxiào 在 学校	
17.		zhuōzi shang 桌子 上	

第二部分　Part II

第 18–22 题：看问题，选择正确的回答
Questions 18-22: Read the questions and choose the right answer to each of them.

　　　　Nǐ hē shuǐ ma?
例如：你 喝 水 吗?　　　　　[F]　　A　Zài nàr,　zhuōzi lǐmiàn.
Example: Would you like some water?　　　　在 那儿，桌子 里面。

　　　　Nǐ hǎo, wǒ néng zuò zhèr ma?
18. 你 好，我 能　坐 这儿 吗?　　[ ]　　B　Hǎo, qǐng zuò.
　　　　　　　　　　　　　　　　　　好，请　坐。

　　　　Nǐ de bēizi ne?
19. 你 的 杯子 呢?　　　　　　[ ]　　C　Yí ge diànnǎo hé yì běn
　　　　　　　　　　　　　　　　　　一 个 电脑 和 一 本
　　　　　　　　　　　　　　　　　　shū.
　　　　　　　　　　　　　　　　　　书。

　　　　Nǐ de zhuōzi shang yǒu shénme?
20. 你 的 桌子　上　有　什么?　[ ]　　D　Tā jiào Lǐ Yuè,　shì wǒ de
　　　　　　　　　　　　　　　　　　她 叫 李 月，是 我 的
　　　　　　　　　　　　　　　　　　Hànyǔ lǎoshī.
　　　　　　　　　　　　　　　　　　汉语 老师。

　　　　Nǐ hòumiàn nàge rén shì shéi?
21. 你 后面　那个 人 是 谁?　　[ ]　　E　Bú shì,　wǒ hòumiàn nàge
　　　　　　　　　　　　　　　　　　不 是，我 后面　那个
　　　　　　　　　　　　　　　　　　rén shì Lǐ Péng.
　　　　　　　　　　　　　　　　　　人 是 李 朋。

　　　　Nǐ qiánmiàn nàge rén shì Lǐ Péng ma?
22. 你 前面　那个 人是 李 朋　吗?　[ ]　　F　Hǎo de,　xièxie!
　　　　　　　　　　　　　　　　　　好 的，谢谢!

第三部分　Part III

第 23–30 题：看句子，选择正确的词语填空

Questions 23-30: Read the sentences and choose the right words to fill in the brackets.

	yǒu		zài		qǐng		míngzi		néng
	A 有		B 在		C 请		D 名字		E 能

Nǐ jiào shénme
例如：你 叫 什么 （ D ）?

Example: What is your name?

Wǒ　　kànkan nǐ　de Hànyǔ shū ma?
23. 我（　　）看看 你 的 汉语 书 吗?

Wǒ bàba jīntiān bù　　jiā.
24. 我 爸爸 今天 不（　　）家。

Nín hǎo,　　hē chá.
25. 您 好,（　　）喝 茶。

Xuéxiào li　　yí ge shāngdiàn.
26. 学校 里（　　）一 个 商店。

- -

	bù		méi		hěn		duō
	F 不		G 没		H 很		I 多

Nǐ bàba jīnnián　　dà le?
27. 你 爸爸 今年 （　　）大 了?

Qǐng zuò, zhèr de Zhōngguó cài　　hǎo chī.
28. 请 坐, 这儿 的 中国 菜（　　）好 吃。

Tā　　shì xuésheng, tā shì lǎoshī.
29. 他（　　）是 学生, 他 是 老师。

Wǒ de zhuōzi shang　　yǒu diànnǎo.
30. 我 的 桌子 上 （　　）有 电脑。

三、语音　Pronunciation　　🔘 10-2

第一部分　Part I

第 1–8 题：听录音，从听到的三个词语中选出不是双音节叠音词的一个

Questions 1-8: Listen to the recording. Among the three words you hear, mark the one that is not a dissyllabic word with reduplicated syllables.

1. A　　　　B　　　　C

2. A　　　　B　　　　C

3. A　　　　B　　　　C

4. A　　　　B　　　　C

5. A　　　　B　　　　C

6. A　　　　B　　　　C

7. A　　　　B　　　　C

8. A　　　　B　　　　C

第二部分　Part II

第 9–16 题：听录音，给下列词语标注声调

Questions 9-16: Listen to the recording and add the tone marks to the following words.

9. zhuozi　　yizi
10. baozi　　jiaozi
11. haizi　　sangzi
12. shitou　　shetou
13. litou　　waitou
14. zanmen　　renmen
15. women　　tamen
16. beizi　　yangzi

四、汉字 Characters

第一部分 Part I

第1–2题：看汉字，找出含有下列偏旁的汉字

Questions 1-2: Look at the characters and group the characters with the same radical.

A 视   B 团   C 园   D 祝

E 礼   F 祥   G 因   H 国

1. 口：_____

2. 礻：_____

第二部分 Part II

第3题：看笔顺，写独体字

Question 3: Look at the stroke order and practice writing the single-component characters.

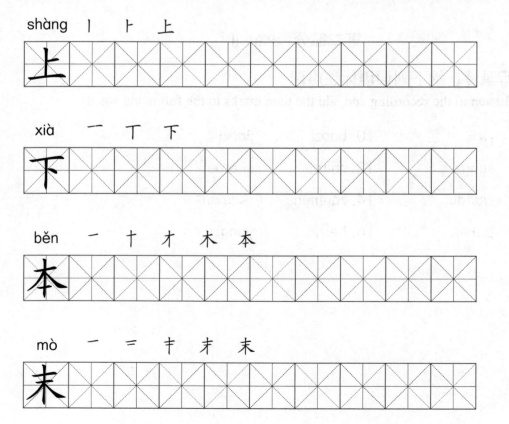

11

Xiànzài jǐ diǎn
现在几点
What's the time now

一、听力 Listening  11-1

第一部分 Part I

第 1–5 题：听词或短语，判断对错

Questions 1-5: Listen to the words or phrases and decide whether the pictures are right or wrong based on what you hear.

例如： Example:		hěn gāoxìng 很 高兴 ✓ very happy
		kàn diànyǐng 看 电影 ✗ to see a movie
1.		
2.		
3.		
4.		
5.		

第二部分 Part II

第 6–10 题：听对话，选择与对话内容一致的图片

Questions 6-10: Listen to the dialogues and choose the right picture for each dialogue you hear.

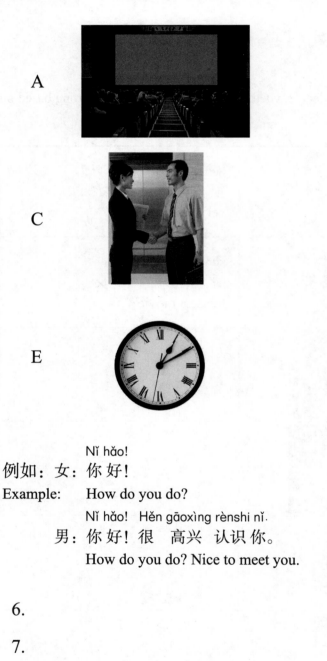

例如：女：你好！

Nǐ hǎo!

Example: How do you do?

男：你好！很 高兴 认识 你。

Nǐ hǎo! Hěn gāoxìng rènshi nǐ.

How do you do? Nice to meet you.   C

6.   ☐

7.   ☐

8.   ☐

9.   ☐

10.   ☐

第三部分　Part Ⅲ

第 11–15 题：听句子，回答问题
Questions 11-15: Listen to the sentences and answer the questions.

Xiàwǔ wǒ qù shāngdiàn, wǒ xiǎng mǎi yìxiē shuǐguǒ.
例如：下午 我去　商店，　我 想　买 一些 水果。
Example: I'm going to the store this afternoon. I want to buy some fruit.

Tā xiàwǔ qù nǎli?
问：她 下午 去 哪里？
Question: Where is she going this afternoon?

　　　　shāngdiàn　　　　　　yīyuàn　　　　　　　xuéxiào
　　A　商店 store √　B　医院 hospital　C　学校 school

　　　　jiǔ diǎn　　　　　　shí diǎn　　　　　　shíyī diǎn
11.　A　九点　　　B　十点　　　C　十一点

　　　　bā diǎn wǔshí fēn　　jiǔ diǎn shí fēn　　jiǔ diǎn sānshí fēn
12.　A　八点 五十 分　B　九点 十 分　C　九点 三十 分

　　　　kàn diànyǐng　　　　kàn shū　　　　　chī fàn
13.　A　看 电影　　　B　看 书　　　C　吃 饭

　　　　shí diǎn　　　　　　shí'èr diǎn　　　　liǎng diǎn
14.　A　十点　　　B　十二 点　　　C　两 点

　　　　xīngqī sān　　　　　xīngqī wǔ　　　　bù huí jiā
15.　A　星期 三　　　B　星期 五　　　C　不回 家

二、阅读 Reading

第一部分 Part I

第 16–20：看图片，判断图片内容是否与提示词一致
Questions 16-20: Look at the pictures and decide whether the given words are right or wrong.

例如： Example:		diànshì 电视 television	✕
		fēijī 飞机 airplane	✓
16.		wǒmen 我们	
17.		mǐfàn 米饭	
18.		zhōngwǔ 中午	
19.		gōngzuò 工作	
20.		diànyǐng 电影	

第二部分　Part II

第 21–25 题：看问题，选择正确的回答

Questions 21-25: Read the questions and choose the right answer to each of them.

Nǐ hē shuǐ ma?
例如：你 喝 水 吗? 　　| F |　　A　不 去 学校，我 在 家。
Example: Would you like some water? 　　Bú qù xuéxiào, wǒ zài jiā.

Xiàwǔ sān diǎn nǐ qù xuéxiào ma?
21.　下午 三 点 你 去 学校 吗? 　　| |　　B　我 不 去，没有 时间。
Wǒ bú qù, méiyǒu shíjiān.

Nǐ shénme shíhou huí Běijīng?
22.　你 什么 时候 回 北京? 　　| |　　C　不 工作，你 12 点 来 吧。
Bù gōngzuò, nǐ shí'èr diǎn lái ba.

Zhōngwǔ nǐ gōngzuò ma?
23.　中午 你 工作 吗? 　　| |　　D　星期 五 前。
Xīngqī wǔ qián.

Nǐ zhōngwǔ qù chī fàn ma?
24.　你 中午 去 吃饭 吗? 　　| |　　E　他 不 想 去。
Tā bù xiǎng qù.

Dàwèi qù kàn diànyǐng ma?
25.　大卫 去 看 电影 吗? 　　| |　　F　好 的，谢谢!
Hǎo de, xièxie!

第三部分　Part Ⅲ

第 26-30 题：看句子，选择正确的词语填空

Questions 26-30: Read the sentences and choose the right words to fill in the brackets.

diǎn	fēn	shíhou	míngzi	qián	zhù
A 点	B 分	C 时候	D 名字	E 前	F 住

Nǐ jiào shénme
例如：你 叫 什么 （ D ）？
Example: What is your name?

Wǒ zài Wáng Fāng jiā　　　　yí ge xīngqī, xīngqī liù huí jiā.
26. 我 在 王 方 家（　　）一 个 星期，星期 六 回家。

Nǐ shénme　　　　yǒu shjiān? Wǒmen qù kàn diànyǐng.
27. 你 什么 （　　）有 时间？我们 去 看 电影。

Xiànzài zhōngwǔ shí'èr　　　　nǐ qù chī fàn ma?
28. 现在 中午 十二 （　　），你 去 吃饭 吗？

Wǒ xiànzài gōngzuò, shí'èr diǎn shí　　　　qù chī fàn.
29. 我 现在 工作，十二 点 十 （　　）去 吃饭。

Wǒ bā diǎn　　　　zài jiā.
30. 我 八点 （　　）在 家。

78

三、语音　Pronunciation　　💿 *11-2*

第一部分　Part I

第 1–5 题：听录音，选择听到的音节

Questions 1-5: Listen to the recording and mark the syllables you hear.

1. A gǔgǔ　　　　B gūgu　　　　C fùgǔ

2. A tiān shang　　B Tiān Shān　　C tiān shàng

3. A kànle　　　　B kàn kè　　　　C kànkan

4. A tā de　　　　B tē de　　　　C tā dé

5. A nǐmen　　　　B nǐ mén　　　　C nǐ mèn

第二部分　Part II

第 6 题：听录音并跟读，注意轻声音节的读法

Question 6: Listen to the recording and read after it. Pay attertion to the pronunciation of the neutral tones.

Zuò Zǎocāo
做　早操

Tóngxuémen zǎoshang hǎo, wǒmen yìqǐ zuò zǎocāo.
同学们　　早上　好，我们 一起 做 早操。

Shēnshen gēbo, tīti tuǐ, yáoyao nǎodai, niǔniu yāo.
伸伸　　胳膊，踢踢 腿，摇摇 脑袋，扭扭 腰。

Tiāntiān duànliàn yǒu jīngshen, zǎo shuì zǎo qǐ shēntǐ hǎo.
天天　　锻炼 有 精神，早 睡 早 起 身体 好。

四、汉字　Characters

第一部分　Part I

第1-2题：看汉字，找出含有下列偏旁的汉字

Questions 1-2: Look at the characters and group the characters with the same radical.

A 院　　　　B 你　　　　C 他　　　　D 们

E 住　　　　F 阵　　　　G 阴　　　　H 阳

1. 阝：_____

2. 亻：_____

第二部分　Part II

第3题：看笔顺，写独体字

Question 3: Look at the stroke order and practice writing the single-component characters.

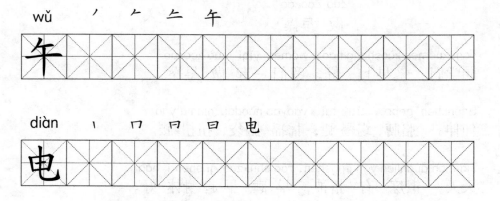

Míngtiān tiānqì zěnmeyàng
明天天气怎么样
What will the weather be like tomorrow

一、听力　Listening 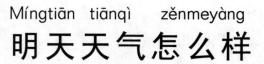 *12-1*

第一部分　Part I

第 1–5 题：听词或短语，判断对错

Questions 1-5: Listen to the words or phrases and decide whether the pictures are right or wrong based on what you hear.

例如： Example:		hěn gāoxìng 很　高兴　√ very happy
		kàn diànyǐng 看　电影　× to see a movie
1.		
2.		
3.		
4.		
5.		

第二部分　Part Ⅱ

第 6–10 题：听对话，选择与对话内容一致的图片

Questions 6-10: Listen to the dialogues and choose the right picture for each dialogue you hear.

A

B

C

D

E

F

　　　　　Nǐ hǎo!
例如：女：你 好！

Example:　　How do you do?

　　　　　Nǐ hǎo!　Hěn gāoxìng rènshi nǐ.
　　　男：你 好！很　高兴　认识 你。　　　　　　　　C

　　　　　How do you do? Nice to meet you.

6. 　　　　　　　　　　　　　　　　　　　　　　☐

7. 　　　　　　　　　　　　　　　　　　　　　　☐

8. 　　　　　　　　　　　　　　　　　　　　　　☐

9. 　　　　　　　　　　　　　　　　　　　　　　☐

10. 　　　　　　　　　　　　　　　　　　　　　☐

第三部分 Part Ⅲ

第 11-15 题：听句子，回答问题

Questions 11-15: Listen to the sentences and answer the questions.

Xiàwǔ wǒ qù shāngdiàn, wǒ xiǎng mǎi yìxiē shuǐguǒ.
例如：下午 我去 商店，我 想 买 一些 水果。

Example: I'm going to the store this afternoon. I want to buy some fruit.

Tā xiàwǔ qù nǎli?
问：她 下午 去 哪里?

Question: Where is she going this afternoon?

shāngdiàn
A 商店 store √

yīyuàn
B 医院 hospital

xuéxiào
C 学校 school

11.
hěn hǎo
A 很 好

bù hǎo
B 不 好

xià yǔ
C 下 雨

12.
hěn hǎo
A 很 好

tài lěng le
B 太 冷 了

tài rè le
C 太 热 了

13.
shàngwǔ
A 上午

zhōngwǔ
B 中午

xiàwǔ
C 下午

14.
bā diǎn
A 八点

bā diǎn qián
B 八点 前

bā diǎn shí fēn
C 八点 十分

15.
hěn hǎo
A 很 好

bú tài hǎo
B 不 太 好

tài hǎo le
C 太 好 了

二、阅读 Reading

第一部分 Part I

第 16–20 题：看图片，判断图片内容是否与提示词一致

Questions 16-20: Look at the pictures and decide whether the given words are right or wrong.

例如： Example:		diànshì 电视 television	✕
		fēijī 飞机 airplane	✓
16.		shuǐ 水	
17.		xià yǔ 下 雨	
18.		shuǐguǒ 水果	
19.		xiǎojiě 小姐	
20.		yīshēng 医生	

第二部分　Part Ⅱ

第 21-25 题：看问题，选择正确的回答

Questions 21-25: Read the questions and choose the right answer to each of them.

Nǐ hē shuǐ ma?

例如：你 喝 水 吗？　　　　　　　　　 F　　A　不 会。
　　　　　　　　　　　　　　　　　　　　　　　 Bú huì.

Example: Would you like some water?

Xiàwǔ huì bu huì xià yǔ?

21. 下午 会不会下雨？　　　　　□　　B　多 喝 水，多 吃 水果。
　　　　　　　　　　　　　　　　　　　　 Duō hē shuǐ, duō chī shuǐguǒ.

Zuótiān tiānqì zěnmeyàng?

22. 昨天 天气 怎么样？　　　　　□　　C　她 很 好，谢谢。
　　　　　　　　　　　　　　　　　　　　 Tā hěn hǎo, xièxie.

Wáng xiǎojiě shēntǐ zěnmeyàng?

23. 王 小姐 身体 怎么样？　　　　□　　D　太 热 了，我 一会儿 去。
　　　　　　　　　　　　　　　　　　　　 Tài rè le, wǒ yíhuìr qù.

Nǐ shénme shíhou qù xuéxiào?

24. 你 什么 时候 去 学校？　　　　□　　E　不 冷 不 热。
　　　　　　　　　　　　　　　　　　　　 Bù lěng bú rè.

Yīshēng shuō shénme?

25. 医生 说 什么？　　　　　　　　□　　F　好 的，谢谢！
　　　　　　　　　　　　　　　　　　　　 Hǎo de, xièxie!

第三部分　Part Ⅲ

第 26–30 题：看句子，选择正确的词语填空

Questions 26-30: Read the sentences and choose the right words to fill in the brackets.

tài	le	duō	ài	míngzi	xiē	zěnmeyàng
A 太……了		B 多	C 爱	D 名字	E 些	F 怎么样

Nǐ jiào shénme
例如：你 叫 什么 （ D ）？
Example:What is your name?

Běijīng de tiānqì
26. 北京 的 天气 (　　)？

Nǐ　　　hē shuǐ, tiānqì tài rè le.
27. 你 (　　) 喝 水，天气 太 热 了。

Tāmen bù xiǎng zhù zhèr, zhèr　　　lěng
28. 他们 不 想 住 这儿，这儿 (　　) 冷 (　　)。

Zhège xīngqī wǒ shēntǐ bú tài hǎo, bù　　　chī fàn.
29. 这个 星期 我 身体 不 太 好，不 (　　) 吃 饭。

Tiānqì hěn rè,　nǐ duō chī　　　shuǐguǒ.
30. 天气 很 热，你 多 吃 (　　) 水果。

三、语音 Pronunciation 12-2

第一部分 Part I

第1–5题：听录音，从听到的三个词语中选出声调模式不同的一个

Questions 1-5: Listen to the recording. Among the three words and phrases you hear, mark the one that has a different tone pattern.

1. A   B   C
2. A   B   C
3. A   B   C
4. A   B   C
5. A   B   C

第二部分 Part II

第6–10题：听录音，画出句中你听到的三音节词语

Questions 6-10: Listen to the recording and underline the trisyllabic words and phrases in the sentences you hear.

6. Wǒ měi tiān xià wǔ shàng shū fǎ kè.

7. Mā ma xià ge yuè qù Jiā ná dà.

8. Jīn tiān shì xīng qī wǔ, míng tiān shì zhōu mò.

9. Wǒ zuì xǐ huan tiào bā lěi wǔ.

10. Tā méi qù guo Xī bān yá.

四、汉字 Characters

第一部分 Part I

第 1 题：看汉字，比较相近的汉字字形

Question 1: Look at the similarly shaped characters and compare them.

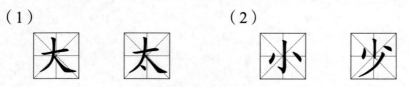

（1）　大　太　　　（2）　小　少

第二部分 Part II

第 2-3 题：看汉字，找出含有下列偏旁的汉字

Questions 2-3: Look at the characters and group the characters with the same radical.

A 妈　　　B 饮　　　C 饭　　　D 她

E 好　　　F 姐　　　G 饿　　　H 饥

2. 女：_____

3. 饣：_____

第三部分 Part III

第 4 题：看笔顺，写独体字

Question 4: Look at the stroke order and practice writing the single-component characters.

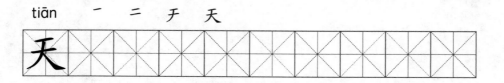

tiān　一　二　千　天

qì ノ ┌ ┌ 气
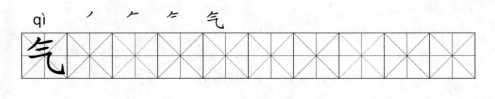

yǔ 一 丆 冂 币 雨 雨 雨 雨
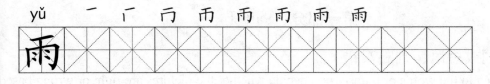

Tā zài xué zuò Zhōngguó cài ne

他在学做中国菜呢

He is learning to cook Chinese food

一、听力 Listening 🔘 *13-1*

第一部分 Part I

第 1–5 题：听词或短语，判断对错

Questions 1-5: Listen to the words or phrases and decide whether the pictures are right or wrong based on what you hear.

例如： Example:		hěn gāoxìng 很 高兴　　√ very happy
		kàn diànyǐng 看 电影　　✗ to see a movie
1.		
2.		
3.		
4.		
5.		

第二部分　Part Ⅱ

第 6-10 题：听对话，选择与对话内容一致的图片

Questions 6-10: Listen to the dialogues and choose the right picture for each dialogue you hear.

A

B

C

D

E

F

Nǐ hǎo!

例如：女：你好！

Example:　How do you do?

　　　Nǐ hǎo!　Hěn gāoxìng rènshi nǐ.

　　男：你好！很　高兴　认识你。　　　　　　　　　C

　　　How do you do? Nice to meet you.

6.

7.

8.

9.

10.

第二部分　Part Ⅱ

第三部分　Part III

第 11–15 题：听句子，回答问题

Questions 11-15: Listen to the sentences and answer the questions.

Xiàwǔ wǒ qù shāngdiàn, wǒ xiǎng mǎi yìxiē shuǐguǒ.
例如：下午 我 去　商店，我 想　买 一些 水果。
Example: I'm going to the store this afternoon. I want to buy some fruit.

Tā xiàwǔ qù nǎli?
问：她 下午 去 哪里？
Question: Where is she going this afternoon?

	shāngdiàn		yīyuàn		xuéxiào
A	商店 store ✓	B	医院 hospital	C	学校 school

	xuéxiào		jiā li		fàndiàn
11. A	学校	B	家 里	C	饭店

	hěn hǎo		hěn rè		bù hǎo
12. A	很 好	B	很 热	C	不 好

13.	A 83302755	B 88302775	C 88302755

	kàn diànshì		kàn diànyǐng		xuéxí
14. A	看 电视	B	看 电影	C	学习

	dǎ diànhuà		shuì jiào		zài jiā
15. A	打 电话	B	睡 觉	C	在 家

二、阅读　Reading

第一部分　Part I

第 16–20 题：看图片，判断图片内容是否与提示词一致

Questions 16-20: Look at the pictures and decide whether the given words are right or wrong.

例如： Example:		diànshì 电视 television	✕
		fēijī 飞机 airplane	✓
16.		shuǐ 水	
17.		cài 菜	
18.		xuéxiào 学校	
19.		jiā 家	
20.		diànnǎo 电脑	

第二部分　Part II

第 21–25 题：看问题，选择正确的回答

Questions 21-25: Read the questions and choose the right answer to each of them.

Nǐ hē shuǐ ma?

例如：你 喝 水 吗？　　　　　　　　　　| F |　A　Zài xià yǔ ne.
在 下 雨 呢。

Example: Would you like some water?

Jīntiān wǒmen qù nǎr chī fàn?

21. 今天 我们 去 哪儿 吃 饭？　　| □ |　B　Wǒ hé péngyou zài kàn shū ne.
我 和 朋友 在 看 书 呢。

Zuótiān xiàwǔ nǐ zài jiā zuò shénme ne?

22. 昨天 下午 你 在 家 做 什么 呢？　| □ |　C　Wǒ méi kàn diànshì, wǒ zài xuéxí ne.
我 没 看 电视，我 在 学习 呢。

Nǐ xǐhuan hē chá ma?

23. 你 喜欢 喝茶 吗？　　　　　| □ |　D　Zài jiā chī ba.
在 家 吃 吧。

Jīntiān tiānqì zěnmeyàng?

24. 今天 天气 怎么样？　　　　| □ |　E　Wǒ xǐhuan hē shuǐ.
我 喜欢 喝 水。

Nǐ zài kàn diànshì ma?

25. 你 在 看 电视 吗？　　　　| □ |　F　Hǎo de, xièxie!
好 的，谢谢！

第三部分　Part Ⅲ

第 26–35 题：看句子，选择正确的词语填空

Questions 26-35: Read the sentences and choose the right words to fill in the brackets.

　　　　　　　　zài　　　　ne　　　méi　　　míngzi　　　yě　　　ba
　　　　　　　A 在　　　B 呢　　　C 没　　　D 名字　　　E 也　　　F 吧

　　　　Nǐ jiào shénme
例如：你 叫 什么 （ D ）？
Example:What is your name?

　　　Wǒ　　　　dǎ　diànhuà ne.
26. 我 （　）打 电话 呢。

　　　Bàba　　　　kàn diànshì, tā zài gōngzuò ne.
27. 爸爸（　）看 电视，他 在 工作 呢。

　　　Wǒ jiā de xiǎo gǒu zài chī fàn
28. 我 家 的 小 狗 在 吃 饭（　）。

　　　Zhōngguó cài hěn hǎo chī, wǒmen zuò Zhōngguó cài
29. 中国 菜 很 好 吃，我们 做 中国 菜 （　）。

　　　Wǒ huì xiě Hànzì, wǒ māma　　　huì xiě Hànzì.
30. 我 会 写 汉字，我 妈妈 （　）会 写 汉字。

- -

　　　　　　　xǐhuan　　　kàn　　　zuò　　　diànhuà　　　huì
　　　　　　G 喜欢　　　H 看　　　I 做　　　J 电话　　　K 会

　　　Wǒ xiǎng xuéxí　　　　　Zhōngguó cài.
31. 我 想 学习（　）中国 菜。

　　　Wǒ méiyǒu nǐ de
32. 我 没有 你 的（　）。

　　　Wǒ bù　　　　kàn diànyǐng.
33. 我 不 （　）看 电影。

　　　Wǒ zuótiān xiàwǔ sì diǎn zài jiā　　　diànshì ne.
34. 我 昨天 下午 四 点 在 家 （　）电视 呢。

　　　Wǒ bù　　　　xiě Hànzì, wǒ hěn xiǎng xué.
35. 我 不（　）写 汉字，我 很 想 学。

三、语音　Pronunciation　🔘 *13-2*

第一部分　Part Ⅰ

第 1–5 题：听录音，从听到的三个词语中选出声调模式不同的一个

Questions 1-5: Listen to the recording. Among the three words and phrases you hear, mark the one that has a different tone pattern.

1. A　　　B　　　C
2. A　　　B　　　C
3. A　　　B　　　C
4. A　　　B　　　C
5. A　　　B　　　C

第二部分　Part Ⅱ

第 6–10 题：听录音，画出句中你听到的三音节词语

Questions 6-10: Listen to the recording and underline the trisyllabic words and phrases in the sentences you hear.

6. Wǒ měi tiān xià wǔ zài tú shū guǎn xué xí.

7. Mā ma zuó tiān mǎi le yì tiáo niú zǎi kù.

8. Nǐ hǎo, wǒ xiǎng huàn rén mín bì.

9. Fú wù yuán, wǒ yào liǎng bēi kā fēi.

10. Tā hé gē ge dōu xǐ huan cān guān bó wù guǎn.

四、汉字　Characters

第一部分　Part Ⅰ

第 1 题：看汉字，比较相近的汉字字形

Question 1: Look at the similarly shaped characters and compare them.

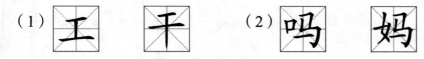

（1）工　干　（2）吗　妈

第二部分　Part Ⅱ

第 2-3 题：看汉字，找出含有下列偏旁的汉字

Questions 2-3: Look at the characters and group the characters with the same radical.

A 着　　B 明　　C 晴　　D 时

E 昨　　F 晚　　G 睡　　H 眼

2. 日：_____

3. 目：_____

第三部分　Part Ⅲ

第 4 题：看笔顺，写独体字

Question 4: Look at the stroke order and practice writing the single-component characters.

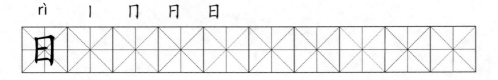

rì　丨　冂　月　日

日

mù 丨 冂 冃 月 目

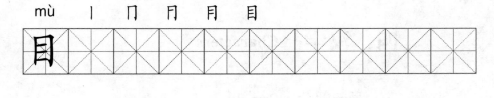

xí 乛 乛 习

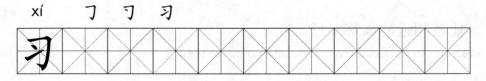

一、听力 Listening 🔘 *14-1*

第一部分 Part I

第 1–5 题：听词或短语，判断对错

Questions 1-5: Listen to the words or phrases and decide whether the pictures are right or wrong based on what you hear.

例如： Example:		hěn gāoxìng 很 高兴　　✓ very happy
		kàn diànyǐng 看 电影　　✗ to see a movie
1.		
2.		
3.		
4.		
5.		

第二部分　Part Ⅱ

第 6–10 题：听对话，选择与对话内容一致的图片

Questions 6-10: Listen to the dialogues and choose the right picture for each dialogue you hear.

A
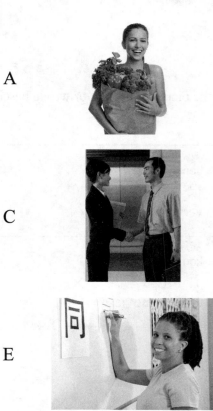

B

C

D

E
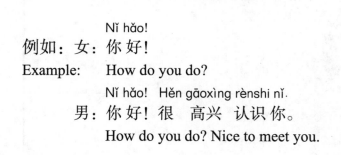

F

Nǐ hǎo!
例如：女：你好!
Example:　　How do you do?

Nǐ hǎo!　Hěn gāoxìng rènshi nǐ.
男：你好! 很　高兴　认识 你。　　　　　　　　　　C
How do you do? Nice to meet you.

6.

7.

8.

9.

10.

第三部分　Part Ⅲ

第 11–15 题：听句子，回答问题

Questions 11-15: Listen to the sentences and answer the questions.

Xiàwǔ wǒ qù shāngdiàn, wǒ xiǎng mǎi yìxiē shuǐguǒ.
例如：下午 我去 商店，我 想 买 一些 水果。
Example: I'm going to the store this afternoon. I want to buy some fruit.

Tā xiàwǔ qù nǎli?
问：她 下午 去 哪里？
Question: Where is she going this afternoon?

      shāngdiàn   yīyuàn   xuéxiào
    A 商店 store √   B 医院 hospital   C 学校 school

      mǎi cài   zuò fàn   mǎi píngguǒ
11. A 买 菜   B 做 饭   C 买 苹果

      xiǎo Wáng   Zhāng xiǎojiě   Wáng lǎoshī
12. A 小 王   B 张 小姐   C 王 老师

      liǎng diǎn hòu   sān diǎn hòu   sì diǎn hòu
13. A 两 点 后   B 三 点 后   C 四点 后

      xuéxí   xué kāi chē   qù xuéxiào
14. A 学习   B 学 开 车   C 去 学校

      shuǐguǒ   shuǐ   mǐfàn
15. A 水果   B 水   C 米饭

二、阅读 Reading

第一部分 Part I

第 16–20 题：看图片，判断图片内容是否与提示词一致
Questions 16-20: Look at the pictures and decide whether the given words are right or wrong.

例如： Example:		diànshì 电视 television	×
		fēijī 飞机 airplane	√
16.		yìdiǎnr 一点儿	
17.		piàoliang 漂亮	
18.		mǎi dōngxi 买 东西	
19.		bùshǎo 不少	
20.		yīfu 衣服	

第二部分　Part Ⅱ

第 21–25 题：看问题，选择正确的回答
Questions 21-25: Read the questions and choose the right answer to each of them.

Nǐ hē shuǐ ma?
例如：你 喝 水 吗？　　　　F　A 我 去 了。
Example: Would you like some water?　　　Wǒ qù le.

Zuótiān xiàwǔ nǐ qù shāngdiàn le ma?
21. 昨天 下午 你去 商店 了吗？　□　B 我 买了 一点儿 苹果。
　　　　　　　　　　　　　　　　　Wǒ mǎile yìdiǎnr píngguǒ.

Wǒ méi mǎi shuǐguǒ, nǐ ne?
22. 我 没 买 水果，你呢？　□　C 是，这些 都 是 她 的 东西。
　　　　　　　　　　　　　Shì, zhèxiē dōu shì tā de dōngxi.

Nǐ kànjiàn xiǎo Wáng le ma?
23. 你 看见 小 王 了吗？　□　D 谢谢，我 喜欢 买 漂亮 的衣服。
　　　　　　　　　　　　Xièxie, wǒ xǐhuan mǎi piàoliang de yīfu.

Nǐ de yīfu tài piàoliang le!
24. 你 的 衣服 太 漂亮 了！　□　E 看见 了，他开车 去 学校 了。
　　　　　　　　　　　　　Kànjiàn le, tā kāi chē qù xuéxiào le.

Zhèxiē dōngxi shì Wáng lǎoshī de ma?
25. 这些 东西 是 王 老师 的吗？　□　F 好 的，谢谢！
　　　　　　　　　　　　　Hǎo de, xièxie!

第三部分　Part III

第26–30题：看句子，选择正确的词语填空
Questions 26-30: Read the sentences and choose the right words to fill in the brackets.

yìdiǎnr　　bùshǎo　　dōu　　míngzi　　huílai　　kànjiàn
A 一点儿　　B 不少　　C 都　　D 名字　　E 回来　　F 看见

Nǐ jiào shénme
例如：你 叫 什么 （ D ）？
Example: What is your name?

Nǐmen dōu lái wǒ jiā chī fàn ba, wǒ zuòle　　cài.
26. 你们 都 来 我 家 吃 饭 吧，我 做 了（　　）菜。

Jīntiān xīngqī wǔ, wǒ xiǎng kàn diànyǐng, nǐ shénme shíhou
27. 今天 星期 五，我 想 看 电影，你 什么 时候（　　）？

Wǒ méi　　Wáng lǎoshī de nǚpéngyou, hěn piàoliang ba?
28. 我 没（　　）王 老师 的 女朋友，很 漂亮 吧？

Zhāng xiǎojiě zhù zài zhèr, xiǎo māo hé xiǎo gǒu　　shì tā de.
29. 张 小姐 住 在 这儿，小 猫 和 小 狗（　　）是 她 的。

Nǐ chī de tài shǎo le, duō chī　　ba.
30. 你 吃 的 太 少 了，多 吃（　　）吧。

三、语音 Pronunciation 14-2

第一部分 Part I

第 1–5 题：听录音，从听到的三个词语中选出声调模式不同的一个

Questions 1-5: Listen to the recording. Among the three words and phrases you hear, mark the one that has a different tone pattern.

1. A   B   C
2. A   B   C
3. A   B   C
4. A   B   C
5. A   B   C

第二部分 Part II

第 6–10 题：听录音，画出句中你听到的三音节词语

Questions 6-10: Listen to the recording and underline the trisyllabic words and phrases in the sentences you hear.

6. Mā ma yòng xǐ yī jī xǐ yī fu.

7. Jīn tiān Bēi jīng de tiān qì zěn me yàng?

8. Xué xiào li yǒu yì jiā shuǐ guǒ diàn.

9. Xiǎo Zhāng qù shāng diàn mǎi dōng xi le.

10. Tā men qù huǒ chē zhàn mǎi piào le.

四、汉字　Characters

第一部分　Part I

第 1–2 题：看汉字，找出含有下列偏旁的汉字

Questions 1-2: Look at the characters and group the characters with the same radical.

A 胖　　　　B 打　　　　C 肚　　　　D 接

E 肤　　　　F 服　　　　G 抓　　　　H 抄

1. 月：_____

2. 扌：_____

第二部分　Part III

第 3 题：看笔顺，写独体字

Question 3: Look at the stroke order and practice writing the single-component characters.

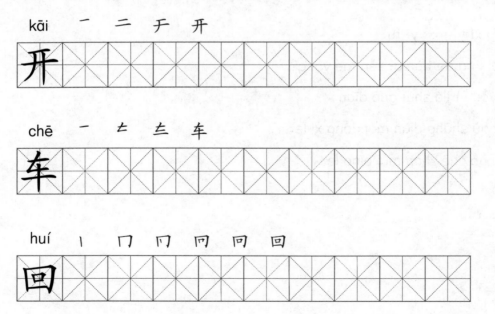

一、听力 Listening 🔘 *15-1*

第一部分 Part I

第 1–5 题：听词或短语，判断对错

Questions 1-5: Listen to the words or phrases and decide whether the pictures are right or wrong based on what you hear.

例如： Example:		hěn gāoxìng 很 高兴　　✓ very happy
		kàn diànyǐng 看 电影　　✗ to see a movie
1.		
2.		
3.		
4.		
5.		

第二部分　Part II

第 6–10 题：听对话，选择与对话内容一致的图片
Questions 6-10: Listen to the dialogues and choose the right picture for each dialogue you hear.

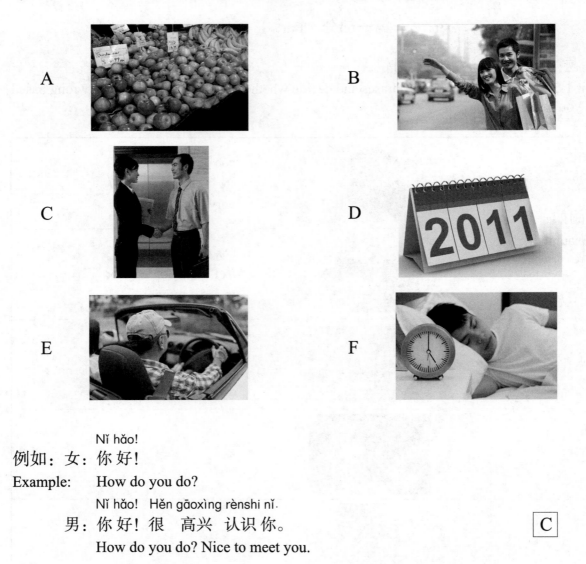

A

B

C

D

E

F

　　　　　　Nǐ hǎo!
例如：女：你好！
Example:　　How do you do?

　　　　　　Nǐ hǎo!　Hěn gāoxìng rènshi nǐ.
　　男：你好！很　高兴　认识你。　　　　　C
　　　How do you do? Nice to meet you.

6. ☐

7. ☐

8. ☐

9. ☐

10. ☐

第三部分　Part Ⅲ

第 11–15 题：听句子，回答问题
Questions 11-15: Listen to the sentences and answer the questions.

Xiàwǔ wǒ qù shāngdiàn, wǒ xiǎng mǎi yìxiē shuǐguǒ.
例如：下午 我去　商店，我 想 买 一些 水果。
Example: I'm going to the store this afternoon. I want to buy some fruit.

Tā xiàwǔ qù　nǎli?
问：她 下午 去 哪里？
Question: Where is she going this afternoon?

	shāngdiàn		yīyuàn		xuéxiào
A	商店 store √	B	医院 hospital	C	学校 school

		nián		nián		nián
11.	A	2007 年	B	2008 年	C	2009 年

		Měiguó		Zhōngguó		Rìběn
12.	A	美国	B	中国	C	日本

		zuò chūzūchē		kāi chē		bù zhīdào
13.	A	坐 出租车	B	开 车	C	不 知道

		bā diǎn		jiǔ diǎn		shí diǎn
14.	A	八 点	B	九 点	C	十 点

		zuò chē		zuò chūzūchē		zuò fēijī
15.	A	坐 车	B	坐 出租车	C	坐 飞机

二、阅读 Reading

第一部分 Part I

第 16–20 题：看图片，判断图片内容是否与提示词一致
Questions 16-20: Look at the pictures and decide whether the given words are right or wrong.

例如： Example:		diànshì 电视 television	×
		fēijī 飞机 airplane	✓
16.		kāi chūzūchē 开 出租车	
17.		gāoxìng 高兴	
18.		yìqǐ xuéxí 一起 学习	
19.		kāi fēijī 开 飞机	
20.		dàxué tóngxué 大学 同学	

第二部分　Part II

第21-25题：看问题，选择正确的回答

Questions 21-25: Read the questions and choose the right answer to each of them.

Nǐ hē shuǐ ma?

例如：你 喝 水 吗？　　　[F]　A　我们 是 大学 同学。

Wǒmen shì dàxué tóngxué.

Example: Would you like some water?

Nǐmen shì zěnme rènshi de?

21．你们 是 怎么 认识 的？　　[ ]　B　我 也 很 高兴。

Wǒ yě hěn gāoxìng.

Nǐ de yīfu shì zài nǎr mǎi de?

22．你的衣服是在哪儿买的？　[ ]　C　在 一个小 商店 买 的。

Zài yí ge xiǎo shāngdiàn mǎi de.

Xiǎo Wáng huí jiā le ma?

23．小 王 回家了吗？　　　[ ]　D　明天 吧，小 王 是 今天 去 的。

Míngtiān ba, xiǎo Wáng shì jīntiān qù de.

Wǒ hěn gāoxìng nǐ lái wǒmen xuéxiào.

24．我 很 高兴 你来我们 学校。　[ ]　E　我 看见 他开车回家了。

Wǒ kànjiàn tā kāi chē huí jiā le.

Nǐ xiǎng shénme shíhou qù?

25．你 想 什么 时候 去？　　[ ]　F　好 的，谢谢！

Hǎo de, xièxie!

第三部分　Part Ⅲ

第 26–30 题：看句子，选择正确的词语填空
Questions 26-30: Read the sentences and choose the right words to fill in the brackets.

	rènshi	zuò	yìqǐ	míngzi	gāoxìng	tīng
	A 认识	B 坐	C 一起	D 名字	E 高兴	F 听

Nǐ jiào shénme
例如：你 叫 什么 （ D ）？
Example: What is your name?

lǎoshī shuō, míngtiān wǒmen qù kàn diànyǐng.
26. （　　）老师 说， 明天 我们 去看 电影。

Wǒmen shì zài fēijī shang　　　de.
27. 我们 是 在 飞机 上 （　　）的。

Wǒ bù xǐhuan　　　chūzūchē, wǒ xǐhuan kāi chē.
28. 我 不 喜欢 （　　）出租车，我 喜欢 开 车。

Nǐ xiǎng bu xiǎng hé wǒmen　　　qù shāngdiàn mǎi yīfu?
29. 你 想 不 想 和 我们 （　　）去 商店 买 衣服?

Jīntiān tiānqì hěn hǎo, wǒ hěn
30. 今天 天气 很 好，我 很 （　　）。

三、语音 Pronunciation 🔘 15-2

第一部分 Part I

第1–5题：听录音，从听到的三个词语中选出声调模式不同的一个

Questions 1-5: Listen to the recording. Among the three words and phrases you hear, mark the one that has a different tone pattern.

1. A   B   C
2. A   B   C
3. A   B   C
4. A   B   C
5. A   B   C

第二部分 Part II

第6–10题：听录音，画出句中你听到的三音节词语

Questions 6-10: Listen to the recording and underline the trisyllabic words and phrases in the sentences you hear.

6. Jiè wǒ nǐ de lù yīn bǐ yòng yong.

7. Míng tiān xià wǔ wǒ men yì qǐ qù diàn yǐng yuàn ba.

8. Nǐ shì shén me shí hou qù jiàn shēn fáng de?

9. Wǒ zài xué dǎ tài jí quán ne.

10. Wǒ yào mǎi yì zhāng diàn huà kǎ.

四、汉字　Characters

第一部分　Part I

第 1–2 题：看汉字，找出含有下列偏旁的汉字

Questions 1-2: Look at the characters and group the characters with the same radical.

A 家　　　B 菜　　　C 它　　　D 室

E 草　　　F 安　　　G 节　　　H 革

1. 艹： _____

2. 宀： _____

第二部分　Part II

第 3 题：看笔顺，写独体字

Question 3: Look at the stroke order and practice writing the single-component characters.

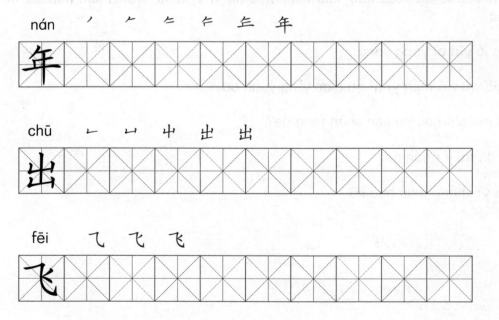

HSK（一级）模拟试卷
HSK Model Test (Level 1)

注　　意

一、HSK（一级）分两部分：

　　1. 听力（20题，约15分钟）

　　2. 阅读（20题，15分钟）

二、**答案先写在试卷上，最后5分钟再写在答题卡上。**

三、全部考试约40分钟（含考生填写个人信息时间5分钟）。

HSK（一级）模拟试卷

HSK Model Test (Level 1)

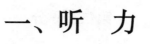

一、听 力

第 一 部 分

第 1–5 题

例如：		
		√
		×
1.		
2.		
3.		
4.		
5.		

第二部分

第 6–10 题

例如：	 A √	 B	 C
6.	 A	 B	 C
7.	 A	 B	 C
8.	 A	 B	 C

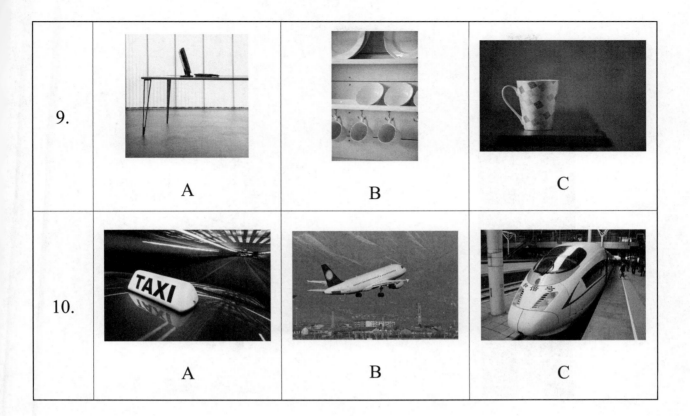

第三部分

第 11-15 题

A

B

C

D

E

F

Nǐ hǎo!
例如：女：你好！

　　　Nǐ hǎo!　Hěn gāoxìng rènshi nǐ.
　　男：你好！很 高兴 认识 你。 [C]

11. ☐

12. ☐

13. ☐

14. ☐

15. ☐

第四部分

第 16—20 题

Xiàwǔ wǒ qù shāngdiàn, wǒ xiǎng mǎi yìxiē shuǐguǒ.

例如：下午 我去 商店，我 想 买一些 水果。

Tā xiàwǔ qù nǎli?

问：她 下午 去 哪里？

	shāngdiàn	yīyuàn	xuéxiào
	A 商店 √	B 医院	C 学校

	zuò chē	kāi chē	dǎ chē
16.	A 坐 车	B 开 车	C 打 车

	kàn diànshì	kàn diànyǐng	kàn shū
17.	A 看 电视	B 看 电影	C 看 书

	yì tiān qián	liǎng tiān qián	liǎng tiān hòu
18.	A 一 天 前	B 两 天 前	C 两 天 后

	shūdiàn	xuéxiào	yīyuàn
19.	A 书店	B 学校	C 医院

20.	A 21	B 23	C 27

二、阅 读

第一部分

第 21-25 题

例如:		diànshì 电视	✗
		fēijī 飞机	✓
21.		gǒu 狗	
22.		diànnǎo 电脑	
23.		tāmen 他们	
24.		chī shuǐguǒ 吃 水果	
25.		tīng 听	

第二部分

第 26-30 题

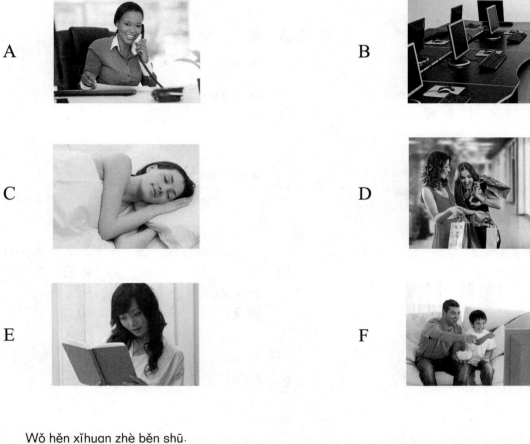

A   B

C   D

E   F

Wǒ hěn xǐhuan zhè běn shū.
例如：我 很 喜欢 这 本 书。   E

Nǐ néng tīngjiàn ma? Tā de diànhuà hàomǎ shì
26. 你 能 听见 吗？他 的 电话 号码 是 58777062。 ☐

Érzi méi xuéxí, tā zài kàn diànshì ne.
27. 儿子 没 学习，他 在 看 电视 呢。 ☐

Zuótiān wǒmen qù shāngdiàn mǎile hěn duō dōngxi.
28. 昨天 我们 去 商店 买了 很 多 东西。 ☐

Shí'èr diǎn le, tā shuì jiào le.
29. 十二 点 了，她 睡 觉 了。 ☐

Wǒmen de diànnǎo dōu zài nàge zhuōzi shang.
30. 我们 的 电脑 都 在 那个 桌子 上。 ☐

第三部分

第 31-35 题

Nǐ hē shuǐ ma?
例如：你 喝水 吗？ 　F

Nǐ de diànnǎo shì zài nǎr mǎi de?
31. 你 的 电脑 是 在 哪儿买 的？ ☐

Nǐ kànjiàn wǒ de yīfu le ma?
32. 你 看见 我 的 衣服 了 吗？ ☐

Xiànzài jǐ diǎn le?
33. 现在 几点 了？ ☐

Nǐ hòumian nàge rén shì shéi?
34. 你 后面 那个 人 是 谁？ ☐

Bàba shénme shíhou néng huílai?
35. 爸爸 什么 时候 能 回来？ ☐

Nàr, yǐzi shàngmian.
A 那儿，椅子 上面。

Zài Měiguó mǎi de.
B 在 美国 买 的。

Shíyī diǎn èrshí fēn.
C 十一 点 二十 分。

Tā jiào Zhāng Xiǎoyuè, shì wǒ de Zhōngguó
D 她 叫 张 小月，是 我 的 中国
péngyou.
朋友。

Xīngqīrì.
E 星期日。

Hǎo de, xièxie!
F 好 的，谢谢！

第四部分

第 36–40 题

qiánmian	qǐng zuò	bēizi	míngzi	duōshao	zěnmeyàng
A 前面	B 请 坐	C 杯子	D 名字	E 多少	F 怎么样

Nǐ jiào shénme
例如：你 叫 什么 （ D ）？

Qǐngwèn, zhège yǐzi   qián?
36. 请问， 这个 椅子（   ）钱？

Zhè shì yīyuàn, Lǐ xiānsheng jiā zài yīyuàn
37. 这 是 医院，李 先生 家在 医院（   ）。

Míngtiān xiàwǔ wǒ xiǎng qù shāngdiàn mǎi yí ge
38. 明天 下午我 想 去 商店 买一个（   ）。

          Nǐ hǎo! Wǒ néng zuò zhèr ma?
39. 男：你 好！ 我 能 坐 这儿 吗？
    女：（   ）。

          Míngtiān tiānqì
40. 男：明天 天气（   ）？
          Hěn hǎo, bú xià yǔ.
    女：很 好，不 下 雨。

HSK（一级）介绍

HSK（一级）考查考生的日常汉语应用能力，它对应于《国际汉语能力标准》一级、《欧洲语言共同参考框架（CEF）》A1 级。通过 HSK（一级）的考生可以理解并使用一些非常简单的汉语词语和句子，满足具体的交际需求，具备进一步学习汉语的能力。

一、考试对象

HSK（一级）主要面向按每周 2-3 课时进度学习汉语一个学期（半学年），掌握 150 个最常用词语和相关语法知识的考生。

二、考试内容

HSK（一级）共 40 题，分听力、阅读两部分。

考试内容		试题数量（个）		考试时间（分钟）
一、听力	第一部分	5	20	约 15
	第二部分	5		
	第三部分	5		
	第四部分	5		
二、阅读	第一部分	5	20	15
	第二部分	5		
	第三部分	5		
	第四部分	5		
填写答题卡				5
共计	/	40		约 35

全部考试约 40 分钟（含考生填写个人信息时间 5 分钟）。

1. 听力

第一部分，共 5 题。每题听两次。每题都是一个短语，试卷上提供一张图片，考生根据听到的内容判断对错。

第二部分，共 5 题。每题听两次。每题都是一个句子，试卷上提供 3 张图片，考生根据听到的内容选出对应的图片。

第三部分，共 5 题。每题听两次。每题都是一个对话，试卷上提供几张图片，考生根据听到的内容选出对应的图片。

第四部分，共 5 题。每题听两次。每题都是一个人说一句话，第二个人根据这句话问一个问题并说出 3 个选项，试卷上每题都有 3 个选项，考生根据听到的内容选出答案。

2. 阅读

第一部分，共 5 题。每题提供一张图片和一个词语，考生要判断是否一致。

第二部分，共 5 题。试卷上有几张图片，每题提供一个句子，考生根据句子内容，选出对应的图片。

第三部分，共 5 题。提供 5 个问句和 5 个回答，考生要找出对应关系。

第四部分，共 5 题。每题提供一个句子，句子中有一个空格，考生要从提供的选项中选词填空。

试卷上的试题都加拼音。

三、成绩报告

HSK（一级）成绩报告提供听力、阅读和总分三个分数。总分 120 分为合格。

	满分	你的分数
听力	100	
阅读	100	
总分	200	

HSK 成绩长期有效。作为外国留学生进入中国院校学习的汉语能力的证明，HSK 成绩有效期为两年（从考试当日算起）。

Introduction to the HSK Level 1 Test

HSK Level 1 tests students' ability to use Chinese in daily life, corresponding to Level 1 of *Chinese Language Proficiency Scales for Speakers of Other Languages* and Level A1 of *Common European Framework of Reference for Languages (CEF)*. Candidates who have passed the HSK Level 1 test can understand and use a few simple Chinese words and sentences, which satisfy their specific needs in communication and equip them with the ability to further study Chinese.

I. Targets

The HSK Level 1 test is targeted at students who have learned Chinese 2-3 class hours a week for one semester (half an academic year) and have mastered 150 most frequently used Chinese words and relevant grammar.

II. Contents

The HSK Level 1 test includes 40 questions in total, divided into two parts—Listening and Reading.

Contents		Number of Questions		Duration (Min.)
I. Listening	Part 1	5	20	Around 15
	Part 2	5		
	Part 3	5		
	Part 4	5		
II. Reading	Part 1	5	20	15
	Part 2	5		
	Part 3	5		
	Part 4	5		
Marking on the answer sheet				5
Total	/	40		Around 35

The whole test takes about 40 minutes (including 5 minutes for students to write down personal information).

1. Listening

Part 1 includes 5 questions. In this part, candidates will hear 5 phrases. Each phrase is read twice for candidates to decide whether the picture provided is right or wrong.

Part 2 includes 5 questions. In this part, candidates will hear 5 sentences. Each sentence is read twice for candidates to choose the right picture from the three choices provided.

Part 3 includes 5 questions. In this part, candidates will hear 5 dialogues. Each dialogue is read twice for candidates to choose the right picture from the several choices provided.

Part 4 includes 5 questions. For each question, candidates will first hear a sentence spoken by one person, then a question about the sentence asked by another person and three choices. The materials are read twice. Candidates have to choose the right answer from the choices.

2. Reading

Part 1 includes 5 questions. For each question, a picture and a word are provided for candidates to decide whether they match.

Part 2 includes 5 questions. For each question, several pictures and a sentence are provided. Candidates have to choose the right picture according to the sentence.

Part 3 includes 5 questions. In this part, 5 questions and 5 answers are provided for candidates to match them up.

Part 4 includes 5 questions. For each question, one sentence is provided, with part of it left blank. Candidates have to choose from the words given to fill in the blank.

All the test questions are provided with *pinyin*.

Ⅲ. Performance Report

The test report of HSK Level 1 consists of the score for Listening, the score for Reading and the total score. A candidate whose total score is 120 or above passes the test.

	Full Score	Your Score
Listening	100	
Reading	100	
Total	200	

One's HSK score is valid all the time. As a certificate of the Chinese proficiency of an international student who wants to study in a Chinese university, the HSK score is valid for two years (starting from the day of testing).